ACHTER DE SCHERMEN B[...]
VAN THE BOLD & THE BEAUTIFUL

Sharon Hill en Randi Reisfeld

Achter de schermen bij de sterren van THE BOLD & THE BEAUTIFUL

Uitgeverij BZZTôH
's-Gravenhage, 1994

Inhoud

JAAR ÉÉN

'Vrouwen zijn mijn handel... en mijn hobby.'

Nadat de najaarscollectie van Forrester is gepresenteerd, ontvangt president-directeur en oprichter van het bedrijf, Eric Forrester, een alarmerend bericht: zijn oudste zoon, Ridge, keurt de nieuwe lijn af. Eric had zijn zoon recentelijk benoemd tot vice-president van Forrester Creations in een poging hem het familievak te leren. Maar Ridge heeft zijn eigen ideeën en meent het zelf het beste te weten. 'Ik word graag opgewonden door vrouwen. Alle kerels willen dat. Ik denk dat de nieuwe lijn meer sex-appeal nodig heeft,' vertelt hij zijn vader hard. Eric kan de arrogantie van zijn zoon niet waarderen.

Maar Eric is niet de enige die zich ergert aan Ridge. De welgestelde uitgever Bill Spencer confronteert de jonge beginneling met zijn reputatie van playboy. Vader Spencer is overdreven beschermend ten opzichte van zijn dochter Caroline en hij staat erop dat Ridge zijn relatie met haar beëindigt vóór hij haar hart breekt. Maar in de wetenschap dat het beschermde, deugdzame meisje nooit zal slapen met een man met wie ze niet getrouwd is, doet Ridge haar een huwelijksaanzoek om haar vader terug te pakken. Bill is woedend als hij het nieuws hoort, maar geeft ogenschijnlijk toe aan Carolines wensen. Intussen huurt hij stiekem een privé-detective om Ridge te schaduwen.

Op de dag waarop de twee zullen trouwen, krijgt Caroline het bewijsmateriaal onder ogen waaruit blijkt dat Ridge de week ervoor met een andere vrouw naar bed is geweest. Ze is woedend op haar vader vanwege diens inmenging en ze staat erop dat het huwelijk doorgaat. Maar als ze eenmaal voor het altaar staat, wordt het haar allemaal toch te machtig en ze stort in. Ze verbreekt de verloving en verlaat haar vaders huis.

Eric en Stephanie raken steeds verder van elkaar verwijderd, ze zijn slachtoffers van een ongelukkige verbintenis die al veel te lang duurt. 'Voel jij de apathie in ons huwelijk niet,' vraagt een getergde Eric haar op een gegeven moment. Behalve dat ze haar echtgenoot van zich vervreemdt, lijkt ze ook andere vrouwen niet in haar huis te dulden. Zo heeft ze zelfs ruzie met haar dochter Kristen, jaloers als ze is op de band tussen Eric en zijn dochter. Uit angst dat Kristen te dik wordt met Eric, probeert Stephanie een vriendje voor haar dochter te zoeken.

De Forresters ontmoetten elkaar bijna dertig jaar eerder en trouwden nog tijdens hun studietijd. Stephanie was toen onbedoeld in verwachting van Ridge en Eric verkoos het eerbare te doen, hoewel hij nog steeds gevoelens koesterde voor zijn grote liefde Beth Logan. Na het huwelijk van Eric en Stephanie verliezen de twee oud-geliefden elkaar uit het oog, maar als er een feest wordt gegeven in het huis van de Forresters in Beverly Hills, huurt een onwetende Stephanie de cateringservice van Beth in. Eric herkent zijn ex-geliefde meteen en bezoekt haar na het feest. Hij vertelt Beth dat hij bij haar terug had willen komen na de geboorte van Ridge, maar toen was Beth al met een ander getrouwd.

Beth was inderdaad getrouwd, maar nu vertelt ze Eric dat haar echtgenoot Steven haar en haar vier kinderen heeft verlaten. Beth vecht al jaren alleen om haar familie in een bescheiden onderhoud te voorzien. Eric is ontroerd door Beth' kracht en standvastigheid en hij realiseert zich eens te meer hoe verwend en zelfzuchtig Stephanie eigenlijk is. Beth en Eric vernieuwen hun vriendschap, maar zij wil het niet verder laten komen – ze wil zijn huwelijk, dat al zo onder druk staat, niet verwoesten.

Beth' oudste dochter, Brooke, helpt haar moeder bij de catering van het Forresterfeest en raakt zeer onder de indruk van de levensstijl die de rijke, beroemde familie erop nahoudt. Hoewel ze ingaat op het huwelijksaanzoek van politieagent Dave, blijft ze verlangen naar een leven vol glamour en kan ze haar gevoelens voor de flirtzieke Ridge niet van zich afschudden. Ridge moedigt Brooke aan een trouwdatum met Dave vast te stellen, die geduldig toekijkt en wacht tot Brooke tot bezinning komt. Ook Beth zet Brooke onder druk: ze moet een beslissing nemen, want het is niet eerlijk om Dave aan het lijntje te houden. Brooke néémt een beslissing. Ze verbreekt haar verloving met Dave, omdat ze vastberaden is Ridge voor zich te winnen en een Forrester te worden!

Beth' middelste dochter, Donna, woont samen met haar vriend Mark terwijl ze probeert een carrière als model op te bouwen. Donna is overdreven beschermend ten opzichte van haar jongere zus Katie, die onzeker en verlegen is vanwege een ernstig acne-probleem. Donna denkt dat zij het antwoord heeft op Katies problemen: ze stelt haar zusje voor aan de geestige en te gekke Rocco. Ze haalt Rocco over met Katie uit te gaan en het jonge meisje wordt halsoverkop verliefd. Maar Rocco is meer geïnteresseerd in Donna dan in Katie en Katie verwijt haar zus dat zij tussen hen in staat.

Intussen vindt Donna haar vriend Mark en zijn jaloerse uitbarstingen over haar carrière en vriendschap met Rocco steeds vervelender worden. En bovendien realiseert ze zich dat haar gevoelens voor Rocco wel degelijk sterker worden, al bezweert ze Katie van niet.

Caroline probeert het op eigen kracht te maken, maar stuit vanwege haar gebrek aan ervaring op moeilijkheden in het vinden van werk. Ridge realiseert zich dat hij wel degelijk van haar houdt en beëindigt zijn leven als playboy in een poging haar weer voor zich te winnen. Maar zijn zachtmoedige broer Thorne heeft ook zijn zinnen op Caroline gezet.

Dan dringt een kennis, Ron, zich binnen in Carolines appartement en hij verkracht haar. Caroline is volkomen overstuur en trekt in bij de Logans om een beetje op verhaal te komen. Thorne helpt haar de verpletterende ervaring te boven te komen. Ridge is zich zeer bewust van Thornes invloed op Caroline en weet dat zijn broer haar hart probeert te winnen. Daarom schrijft hij een brief aan haar waarin hij haar eindelijk eerlijk en oprecht zijn liefde verklaart.

Alleen, de brief bereikt Caroline nooit. Brooke, zelf smoorverliefd op Ridge, onderschept de brief. Zij en Thorne smeden een plan waardoor ze ieder zouden kunnen krijgen wat ze willen. Caroline aanvaardt Thornes huwelijksaanzoek en Brooke hoopt dat ze nu Ridge voor zich kan winnen. Maar haar loyaliteit aan haar vriendin wint het uiteindelijk: op de trouwdag van Caroline en Thorne geeft Brooke de hartverscheurende brief toch aan Caroline. De mooie aanstaande bruid is vertwijfeld, maar ze volgt Brookes advies op en trouwt met die Forrester die haar naar alle waarschijnlijkheid het gelukkigst zal maken: Thorne.

Susan Flannery
(Stephanie Forrester)

Ze is stoer. Ze is schaamteloos. Ze is een afgewezen vrouw. Ze is Stephanie For-rester. Loop haar niet voor de voeten of ze verplettert je! Mevrouw Forrester is nooit een gelukkige vrouw geweest. Van meet af aan heeft ze zich overal mee bemoeid, plannetjes bedacht, samengespannen en vuur gespuwd. Alles om slechts één reden: haar gezin. Ze probeert ofwel haar gezin bijeen te houden of ze probeert buitenstaanders ervan te weerhouden binnen te dringen. Haar be-langrijkste doel is altijd haar man geweest. Stephanie en Eric trouwden nadat ze zwanger was geraakt van Ridge. Na de geboorte van hun zoon wilde Eric haar verlaten voor Beth, maar toen was zijn studieliefje al getrouwd met een ander. Dus bleven de Forresters dertig jaar bij elkaar. Het was een slepende strijd, maar Stephanie is tot het bittere einde blijven doorvechten.
Howel ze een affaire krijgt met Jack, blijft Stephanie nog altijd smachten naar Eric, waarbij ze elke gelegenheid benut om zich bij haar ex geliefd te maken. Maar ze is ook erg beschermend tegenover haar zoons. Ze heeft alles wat in haar macht ligt geprobeerd om 'verkeerde vrouwen' bij Ridge en Thorne weg te houden. Stephanie heeft dan ook altijd met verve verkondigd dat Brooke uit een achterbuurt komt en dat Macy uit de verkeerde familie stamt.
Aan de buitenkant lijkt Stephanie een rots in de branding en een society-dame. Maar iedereen weet inmiddels dat ze, als het er echt op aankomt, bijt en krabt als een straatkat. Dagelijks genieten we van haar gevechten met concurrente Sally Spectra, van de moeder-dochter schreeuwpartijen met Kristen en Felicia, van de beledigende discussies met Brooke en van de strijd tussen haar en Shei-la. Ondanks alles is Stephanie een dame met klasse die meer effect sorteert met een ijselijke blik of een verdorven glimlach dan ieder ander in het soap-circuit. Maar ondanks al haar valsheid, weet ze toch steeds weer de sympathie van de kijkers voor zich te winnen.

Privé

Net als Stephanie kan actrice Susan Flannery taai en eigengereid zijn. Ze staat erom bekend dat ze collega-acteurs intimideert, ze kan midden in een scène stoppen als het niet goed gaat en ze kan discussiëren met een regisseur tot ze er blauw van aanloopt. In Hollywood mogen mannen voor zichzelf opkomen en eisen stellen, maar als vrouwen hetzelfde doen, worden ze al gauw een 'heks' genoemd. Susan wordt door collega's en outsiders al jaren een 'heks' genoemd – maar in haar geval is het haast een eervolle bijnaam die deze oudgediende van Hollywood meer dan verdiend heeft.

Over de actrice is, behalve haar t.v.-personages en haar indrukwekkende staat van dienst, niet veel bekend. Gedurende de dertig jaar dat zij in Hollywood werkt, is Susan erin geslaagd buiten het voetlicht te blijven en te doen wat *vele* acteurs geprobeerd hebben, maar wat hun niet lukte: hun privé-leven helemaal privé te houden. Er zijn geruchten geweest over een affaire met een (vrouwelijke) collega uit *B & B* – en andere verhalen dat die collega de serie verliet nadat Susan de relatie beëindigd had. Maar schandaliger dan dat wordt het niet voor deze zeer gerespecteerde, vrijgezelle actrice. 'Ik ben een heel rustig en teruggetrokken mens achter de schermen,' vertelde ze *Soap Opera Magazine* in 1994. 'Ik doe dit al heel lang en ik weet dat de fans heel belangrijk zijn en ik waardeer alle steun. Ik heb alleen een gescheiden persoonlijk leven. Ik denk dat mensen die in de publieke belangstelling staan dat nodig hebben om normaal te blijven. Thuis ben ik gewoon Susan die in haar tuin werkt.'

Een belangrijke ontdekking

Misschien wordt Susans teruggetrokken houding veroorzaakt doordat ze geboren en getogen is in New York. Na haar eindexamen van de middelbare school zette ze een dappere stap door van haar familie weg te gaan en te verhuizen naar het Midden-Westen. Ze streek neer in Columbia, Missouri, een plaats met maar liefst drie universiteiten. Ze koos voor het prestigieuze Stephens College – het instituut was een meisjesschool die zich toelegde op theaterkunst. Susan behaalde een Bachelor of Fine Arts-graad (kandidaats Schone Kunsten) voor ze Missouri verruilde voor het warmere klimaat van het Westen.

Haar volgende halte was de universiteit van Arizona, waar ze haar doctoraalstudie deed. Na het behalen van een universitaire graad werd Susan ontdekt door producer Irwin Allen. Allen had een televisieserie gecreëerd die was gebaseerd op zijn succesfilm *Voyage to the Bottom of the Sea* uit 1961. Het sciencefiction avontuur werd een van ABC's grootste successen van 1964-'68. Allen koos Susan voor een gastrol en die ene kans was alles wat Susan nodig had...

De producers van *DAYS OF OUR LIVES* merkten de jonge vrouw op en kozen haar voor de centrale hoofdrol van Dr. Laura Horton. De soap was wat betreft de kijkcijfers aan het modderen sinds de start in 1965 en ze zochten een vervangende actrice voor Floy Dean in de rol van Laura. Susan kreeg de rol en kort nadat ze was begonnen huurden de producers ook Bill Bell in als hoofdschrijver. Dat bleek een gouden greep: de kijkcijfers stegen vrijwel onmiddellijk! Door Bells pen raakte Susan/Laura, een psychiater, betrokken in een dampende driehoeksverhouding met twee Horton-broers, baarde een zoon van de één en trouwde met de ander. Op de golf van zijn populariteit als schrijver verruilde Bill Bell de soap *DAYS* in 1973 voor *THE YOUNG & THE RESTLESS* bij CBS.

Zelfs zonder Bell aan de typemachine bleef Susans rol turbulent. Ze was een van de populairste t.v.-actrices èn een van de best betaalde. Dat weerhield haar er evenwel niet van op de kleintjes te letten. Tussen de scènes door zou Susan volgens zeggen elke krant in Los Angeles lezen om er de kortingsbonnen uit te knippen op zoek naar koopjes.

In 1974 herinnerde Irwin Allen zich zijn jonge ontdekking en vroeg hij de actrice om auditie te doen voor zijn vuur-filmepos, *The Towering Inferno*. Het werd Susans eerste film. De bezetting was overladen met sterren, onder wie Faye Dunaway, Fred Astaire, Richard Chamberlain, Jennifer Jones en O.J. Simpson. Susan werd gekozen om Robert Wagners secretaresse en maîtresse te spelen. Maar omdat de actrice zo belangrijk was voor het verhaal van *DAYS*, kon de soap niet zonder haar. De bezetting en de crew namen vooraf op en werkten rondom Susans schema – en de actrice moest betalen voor de extra kosten! Uiteindelijk wist ze Allen zover te krijgen dat hij die kosten voor zijn rekening nam, zodat zij in ieder geval niet hoefde te betalen voor haar speelfilmdebuut.

Voor haar werk in *Inferno* werd Susan onderscheiden met de prestigieuze Golden Globe Award voor 'Opmerkelijk Acteerdebuut in een Speelfilm'. De eer en de publieke erkenning die volgden, dwongen Susan *DAYS* te verlaten en andere wegen te verkennen. Datzelfde jaar, 1975, won ze haar eerste Daytime Emmy Award voor de Beste Actrice!

Verder gaan

Na 1975 kreeg Susan de hoofdrol in diverse t.v.-films, maar ze bereikte nooit dezelfde populariteit als die welke ze in de soaps had gekend. Ze kreeg een Emmy-nominatie voor haar hoofdrol tegenover Kirk Douglas in de mini-serie *The Moneychangers* en ze trad op in de t.v.-film *Women in White* In 1979 filmde ze *Anatomy of a Seduction*, waarin ze een kille gescheiden vrouw speelde die een verhouding heeft met de beste vriend van haar zoon.

In 1981 verwelkomden soap-fans Susan terug in hun wereld in de vorm van de primetime soap *DALLAS*. Tien weken lang speelde ze Leslie Stewart, een machtige public relations consultante die in conflict is met J.R. Ewing.

Dat had haar zwanezang als actrice moeten zijn, want met het schaarse aanbod aan sterke vrouwenrollen zag Susan niet veel mogelijkheden meer. Ze legde zich dan ook toe op andere interesses: ze haalde haar vliegbrevet, vergrootte haar kennis van de haute cuisine en ging kijken bij wedstrijden van haar twee favoriete sportteams, de L.A. Dodgers en de Rams. In deze periode accepteerde Susan ook een baan achter de schermen bij Columbia Pictures Television. Haar taak was het ontwikkelen van nieuwe programma's. Ze benutte haar soap-ervaring als co-producer van de soap *NEW DAY IN EDEN*.

Weer aan de slag

Toen Bell in 1987 *B & B* creëerde, schreef hij het personage van Stephanie Forrester eigenlijk voor zijn voormalige hoofdrolspeelster uit *DAYS*, Susan. Maar of zij die rol ook werkelijk wilde spelen was de vraag, want uiteindelijk had Susan haar carrière als actrice vaarwel gezegd. Op dit punt had Susan de reputatie van een van de nukkigste dames in de business en Bell wilde haar niet oproepen voor een auditie zonder haar vooraf een beetje te polsen. Hij stuurde twee 'spionnen' op haar af. Hij vroeg casting director John Conwell en producer Gail Kobe om Susan persoonlijk te ontmoeten. 'Ik wilde me er niet mee bemoeien tot er echt iets belangrijks met haar te bespreken was,' zei Bell in een interview. 'Ze wilden haar leren kennen, zien hoe ze eruitzag en hoe ze tegenover de rol stond.'

Iedereen was het erover eens dat Susan geknipt was voor de rol en dat zij de uitstraling had die voor de rol van vrouwelijk stamhoofd van de Forresters noodzakelijk was. Op haar beurt verraste Susan iedereen door de rol ook meteen te accepteren en Susans terugkeer op t.v. was daarmee een feit. 'Je gaat af op het schrijven. Je moet altijd afgaan op het schrijven,' zei ze altijd, dus toen bleek dat Bill Bell verantwoordelijk was voor de serie, aarzelde ze geen moment. Aanvankelijk kondigde ze aan dat ze haar werk bij programma-ontwikkeling *tijdelijk* zou neerleggen voor de baan bij *B & B*. Maar zeven jaar later is Susan nog steeds Stephanie.

Susan en John McCook (Eric) waren twee oudgedienden te midden van een zee van onervaren talent. Terwijl John zijn collega's aan het lachen maakt met zijn opgewekte aard, staat Susan bekend als degene die de zweep erover gooit om de acteurs in vorm te krijgen. Volgens zeggen is ze kortaangebonden tegenover acteurs die hun tekst of hun plaats niet kennen. 'Ze is de Rots van Gibraltar,' zegt John. 'Vanaf de eerste dag wist ze wat ze hier wilde doen en heeft ze zich nooit laten ompraten om iets anders te doen dan wat zij wilde. Ze kan moeilijk zijn en een lastpak, maar ik prijs me zeer gelukkig dat ik met haar kan werken.'

De jongere acteurs gingen bij de Forrester-ouders te rade en zagen hoe zij de zaken aanpakten. 'Ik was min of meer de vraagbaak voor hoe je ontspannen en cool moest zijn, hoe je je moest gedragen op een set,' vertelt John. 'En ik denk dat Susan vooral vragen kreeg over de professionele kant – hoe kan ik dit laten werken in een scène, hoe zou mijn personage dit zeggen.' Terwijl vele van de acteurs nu bijna zeven jaar in de serie spelen en nu dus ook kunnen bogen op een ruime ervaring, blijft Susan een bron van inspiratie voor nieuwe acteurs die hun opwachting maken in de serie. In het achtste jaar van *B & B* heeft de serie drie 'new kids' gecast en alle drie juichen ze hun mentrix toe voor haar steun en loyaliteit.

Wetend dat Susans belangstelling elders ligt dan in het acteren, breidde Bell haar taak uit met regie-zaken. Bij soaps is er elke dag een andere regisseur en de actrice leerde in de praktijk wat er van een regisseur wordt verwacht. Na enige tijd wist ze voldoende om de regie over te nemen, hetgeen zij nu nog steeds ongeveer één keer per week doet.

In tegenstelling tot de wereld van de speelfilm hebben vrouwen achter de schermen bij de dag-t.v. veel bereikt. 'Er zijn dagen waarop *iedereen* in de techniekkamer – van de producer tot de produktie-assistenten – een vrouw is,' constateert Susan dan ook tevreden.

Haar manier van regisseren werd al snel opgemerkt, omdat die afwijkt van de gangbare methode. Susan beperkt namelijk de extreme close-ups waar soap-regisseurs doorgaans zo dol op zijn tot een minimum. 'Ik sta acteren boven de nek niet toe,' vertelde ze *TV Guide*. 'Lichaamstaal is belangrijk voor het publiek.' Overigens heeft ze een tijdje half-serieus overwogen om de rol van Stephanie op te geven en zich helemaal op het regisseren toe te leggen. 'Maar nu neem ik zoveel in me op als ik kan. En ik luister naar de suggesties van iedereen op de set... vooral naar die van de schoonmaakster.'

Statistische gegevens
Geboren: 31 juli in New York City, New York
Burgerlijke staat: ongehuwd
Opleiding: Stephens College, Kandidaats Schone Kunsten; Arizona State University, doctoraalstudie
Hobby's: tennis, zwemmen, koken
Onderscheidingen: 1974 Golden Globe Award voor haar Opmerkelijke Acteerdebuut in *The Towering Inferno*; 1975 Dag-t.v. Emmy Award voor de Beste Actrice (*DAYS OF OUR LIVES*); Emmy-nominatie voor de NBC-mini-serie Arthur Haileys *THE MONEYCHANGERS*
Dagdrama's: DAYS OF OUR LIVES, Dr. Laura Horton 1966-1975; THE BOLD AND THE BEAUTIFUL, Stephanie Forrester, 1987-?

John McCook
(Eric Forrester)

De solide, betrouwbare en knappe Eric Forrester heeft zijn familie door goede en slechte tijden geleid, terwijl ze knokten om een mode-imperium op te bouwen. Toen de serie van start ging, zat Eric opgesloten in een moeilijk en liefdeloos huwelijk met Stephanie. Maar z'n studieliefje Beth Logan kwam weer in zijn leven en Eric werd gedwongen te kiezen tussen de moeder van zijn vier kinderen en de vrouw van eenvoudige komaf, die zelf ook vier kinderen had. Hij sloeg waarschuwingen in de wind en hervatte zijn verhouding met Beth. Stephanie smeedde plannen om Eric terug te winnen: ze spoorde Beth' verdwenen echtgenoot op en herenigde de Logan-familie.

Maar Eric en Stephanie werden niet herenigd – integendeel. Brooke, de oudste dochter van Beth, wendde zich nadat Ridge haar hart had gebroken tot de oudere Forrester voor wat vaderlijk medeleven. Uit hun hechte vriendschap ontstond een liefde die Eric van binnen verzengde en die de gekwetste Brooke meesleepte. Door zijn huwelijk met Brooke krijgt Eric de jeugdige en sexy energie die hij zo miste bij Stephanie, maar de verbintenis zet ook vader en zoon tegen elkaar op. De geboorte van Eric Jr. versterkt weliswaar zijn band met Brooke, maar hun huwelijk is nog lang niet bestendig – de concurrentie blijft op de loer liggen...

Ondanks de constante conflicten met zijn kinderen en met zijn zakenpartner/ex-vrouw, wordt Eric altijd gerespecteerd als hoofd van de Forrester-familie. Evenzo zal John McCook altijd worden gezien als de man die Eric creëerde en tot leven bracht op de dag dat *THE BOLD AND THE BEAUTIFUL* werd geboren.

Er bestaat geen twijfel over dat het enorme succes van *THE BOLD AND THE BEAUTIFUL* te danken is aan de romantische driehoeksverhoudingen, aan de fraaie couture en aan Beverly Hills als romantisch, luxueus decor. Maar een deel van de populariteit moet toch ook worden toegeschreven aan de bezetting van solide veteranen naast ietwat onervaren nieuwkomers. Voor de hoofdrol van patriarch en modemagnaat Eric Forrester wendden de Bells zich tot een acteur met wie ze tien jaar eerder al gewerkt hadden aan *THE YOUNG AND THE RESTLESS:* John McCook.

Zand, surfen en zingen
John groeide op in de badplaats Ventura, Californië, een uur rijden ten noorden van Los Angeles. Als kind keek John naar de komische t.v.-optredens van Steve Allen en Sid Ceasar en hij was een fan van Jerry Lee Lewis en Elvis Presley. John had altijd al een muzikaal gehoor en hij leerde, dankzij de volharding van zijn moeder, al vroeg pianospelen. Wisten zij veel dat Johns gezang onder de douche tot zo'n stralende toekomst zou leiden!
De muziek verdween evenwel naar de achtergrond toen John het acteren ontdekte. Hij speelde herhaalde malen in schoolprodukties en droomde ervan ooit in een musical te staan.

Entertainment en de grote stad
Nadat het acteervirus hem eenmaal goed te pakken had, ging John meteen na de middelbare school in 1963 het huis uit. Hij had zijn geluk in het nabijgelegen Hollywood kunnen beproeven, maar hij koos voor Broadway, waar hij hoopte zijn droom – schitteren in een musical – waar te maken. Zijn ouders waren wel wat huiverig om hun zoon te laten gaan, maar keurden zijn ambitie om acteur te worden absoluut niet af.
Na een slapeloze busrit naar Manhattan te midden van dronken zeelui werd John door een vriend bij het busstation afgehaald en deze bracht hem snel naar zijn eerste auditie. Een uur later had John een rol in de nieuwe versie van *West Side Story.* Hij speelde een lid van de Jets-bende en was tweede reserve voor de hoofdrol, Tony. Zijn vader was onder de indruk: John verdiende nu al meer dan hijzelf als olie-arbeider. 'Ik verdiende meer dan ik ooit verwacht had,' zei John ooit. 'Honderdtien dollar per week.'
Een meevaller – letterlijk – deed John snel stijgen op de Broadway-ladder. De acteur die Tony speelde vertrok en de eerste vervanger nam zijn rol over maar brak zijn enkel toen hij in het eerste bedrijf van een hek sprong. John nam de rol over in het tweede bedrijf en bleef die voor de rest van de reeks optredens spelen. Tijdens een van die optredens merkte een talentenjager van Warner Brothers Studios hem op – hij zag wel wat in de jonge acteur. Broadway werd in de wacht gezet – John ging naar Hollywood!

Filmsterren, Disneyland en soldatenliederen
De verhuizing naar Los Angeles bracht John weer terug bij zijn ouders. Zijn vroege Hollywood-jaren waren echter magertjes, om het voorzichtig uit te drukken. Hij deed veel inspreekwerk (onder andere luchthaven- en politie-oproe-

pen), maar zijn ster wilde toen nog niet rijzen. Hij speelde onbeduidende rolletjes (vaak zonder tekst) in t.v.-series en in pilot-afleveringen van series die de buis nooit haalden.

Toen de audities almaar schaarser werden, drong Johns moeder erop aan dat hij zou gaan studeren zodat hij een toekomst buiten de showbusiness zou hebben. Hij ging naar het Long Beach College, maar verder dan het eerste jaar kwam hij niet: Uncle Sam klopte aan. Amerika zat midden in de Vietnam-oorlog en John werd als dienstplichtige opgeroepen. Gelukkig heeft hij nooit echt hoeven vechten, want het leger ontdekte al gauw Johns muzikale en komische talenten. Zijn dienstplicht bracht hij dan ook door met het vermaken van de gewonde soldaten in het hospitaal van Fort Ore. Toen zijn diensttijd erop zat, ging John terug naar Hollywood, maar toen wist niemand meer wie hij was...

Opnieuw beginnen

Het najagen van een carrière als film-acteur leek zinloos en John keerde terug naar zijn eerste liefde, het theater. Hij kreeg een rol in een produktie van *Blootsvoets in het Park* en was de tegenspeler van de danslegende Ann Miller in de L.A.-produktie *Mame*. John speelde de rol van de oudere Patrick, een rol die hij in 1969 in Las Vegas weer zou spelen met Juliet Prowse. Juliet en Eric konden het goed vinden samen en toen *Mame* ten einde liep, stelde Juliet een Vegas amusements-act samen en huurde ze John in om met haar te zingen en komische sketches te doen. Ondanks hun leeftijdsverschil – Juliet was negen jaar ouder – bloeide er op het podium een romance op en de twee gingen samenwonen in Las Vegas. Juliet raakte in verwachting van het enige kind van het paar, Seth, en ze wilden trouwen. Maar toen ze in Tahoe aankwamen voor de huwelijksvoltrekking, werden ze verrast door Seth, die een maand te vroeg geboren werd. John trouwde zijn Juliet een maand later alsnog – met baby Seth als eregast. Juliets zwangerschap eiste een zware tol van de danseres en ze werkte dapper om haar lichaam weer het perfecte figuur te geven dat ze op de bühne nodig had. Ze nam zich overigens heilig voor nooit meer zwanger te worden.

Niet lang na de geboorte van Seth begonnen de problemen hun relatie binnen te sluipen. Juliet was een beroemde, vorstelijk betaalde artieste en John leefde in haar schaduw. Hij kreeg lang niet zoveel aandacht en lang niet zoveel geld als zijn populaire echtgenote, al kreeg hij vele rollen in het zomertheater en in nachtclub-acts. In 1975 kreeg John een aanbieding uit Hollywood die hij niet kon weigeren en stiekem hoopte hij dat nu zijn huwelijk in balans zou komen.

Jong en rusteloos

In november 1975 creëerde Bill Bell de rol van de sexy playboy Lance Prentiss voor de serie *YOUNG & RESTLESS*. John kreeg die rol mede dankzij zijn theaterervaring. Immers, soaps werden 'live-op-band' opgenomen en dat hield in dat alles van begin tot eind zonder stoppen werd opgenomen. 'Als je je tekst verprutste, stopten ze niet. Het was jouw taak naar de spiekmonitoren te lopen en de scène te redden voor de andere acteur,' vertelt McCook, 'en dat was ik met mijn toneelervaring natuurlijk wel gewend.'

De tijden zijn veranderd. Op de set van *B & B* zijn geen spiekmonitoren meer te bekennen en dankzij elektronische montage is het absoluut onnodig om de scènes in de juiste volgorde op te nemen of om het in één keer perfect te doen. 'Als we nu fouten maken, stoppen we de band. Dat is minder spannend en opwindend, maar we maken nu wel een veel beter produkt. Er is ook geen enkel excuus meer... het móet elke keer goed zijn.'

John hoopte dat zijn bliksemsucces op t.v. de zaken aan het thuisfront ten goede zouden komen, maar met John in L.A. en Juliet vaak op tournee, begon hun huwelijk in het slop te raken. Na zes jaar huwelijk scheidden ze. Seth werd opgevoed door Juliet.

Verder gaan met zijn leven

Een toevallige ontmoeting met de toenmalige *Battlestar Galactica*-ster Laurette Spang bij de opnamen van een televisieactie voor een goed doel leidde tot een nieuwe romance. John en Laurette kenden elkaar nog maar net en waren nog ver van een romantische verbintenis toen roddelcolumnisten al meldden dat John zijn echtscheiding te boven was en dat hij en Laurette een prachtig paar waren. Dat waren ze niet, maar John zag zijn kans schoon en belde de actrice op: 'Ik zei: 'Hé, heb je *The Hollywood Reporter* vandaag gezien? We kunnen maar beter de schijn ophouden.' Een prima manier om een vrouw voor een eerste afspraakje te strikken.

Door zijn omgang met Laurette maakte John kennis met de wereld van prime-time acteurs en producers en al gauw kreeg hij de kriebels: hij wilde ook andere terreinen van het acteren verkennen en had het idee dat vijf jaar *Y & R* genoeg was.

Johns eerste rol na de *Y & R* was naast zijn nieuwe liefde in een t.v.-film, *Tourist*, waarvoor de opnamen in Europa plaatsvonden. De reis werd een huwelijksreis, want het paar trouwde op 16 februari 1980 in Rome.

De film was een flop en John keerde terug naar het musicaltheater. Daarnaast speelde hij talloze gastrollen in komische televisieseries.

Leven als vader

Momenteel heeft Laurette zich teruggetrokken als actrice om thuis te blijven en hun kinderen op te voeden, maar soms schrijft ze tijdschriftartikelen. Zij en John hebben nu drie kinderen, Jake, Becky en Molly, en de familie woont in een chique buitenwijk van Sherman Oaks. 'Mijn hele leven draait om de kinderen,' zegt John trots. 'De realiteiten van mijn leven zijn de kinderen, hun school, hun activiteiten en Molly krijgt genoeg aandacht van ons allemaal. Ik probeer betrokken te blijven bij het leven van mijn grote zoon Seth en hem te helpen, ook al is hij zo ver weg.'

Zoals alter-ego Eric Forrester, is John een toegewijde, huiselijke man en vader en hij is blij dat zijn opnameschema hem de vrijheid biedt veel tijd met zijn kinderen door te brengen. 'Ik ben drie dagen per week hier in de studio. Ik breng mijn tijd niet door met golfen of andere tijdverslindende dingen – al mijn vrije tijd besteed ik thuis. *Eindelijk* voel ik me echt volwassen met volwassen verantwoordelijkheden. Aan de andere kant is het heerlijk dat ik hier in de studio nog kind mag zijn. Het is een zegen dat ik als acteur, meer dan wie dan ook, mijn jeugd zo lang kan rekken! Acteurs mogen zich echt te buiten gaan aan kinderlijk plezier en *doen alsof* omdat dat ons vak is.' Hoewel hij steeds de volmaakte professional is op zijn werk, is John altijd te porren voor practical jokes en grappen met zijn collega's. De jongere acteurs en actrices wenden zich dan ook niet alleen tot hem voor advies, maar ook voor een beetje ongein tijdens de zware opnamedagen.

Terug naar de dag
John had bijna de rol van Eric in *B & B* niet aanvaard. Na zijn vertrek uit *Y & R* kreeg hij soms wel twee rollen in soap-opera's per jaar aangeboden, maar hij wees ze af. 'Ik had het idee dat ik er klaar mee was en ik had al genoeg werk,' herinnert hij zich. Dus toen hem gevraagd werd auditie te doen voor de nieuwe serie van Bill Bell, dreef hij er de spot mee. 'Ik vond de titel de leukste die ik ooit gehoord had,' lacht hij. 'Daar ging ik niet voor naar de andere kant van de stad. Ik vond het belachelijk.' John wees de herhaalde verzoeken van zijn agent en CBS af, maar het was een telefoontje van Bell zelf dat zijn interesse wekte. Toen de producer John vertelde dat hij de rol van Eric Forrester had gecreëerd met een oudere, meer vaderlijke Lance Prentiss voor ogen, stemde de acteur toe in een ontmoeting. 'Ik liep zijn kantoor binnen en hij zei: "Ik had gedacht dat je er ouder uit zou zien." Ik zei: "Dank je, maar wat betekent dat?" Hij zei dat hij er niet zeker van was of hij mij de rol kon geven. Toen was ik 42. Ik ben nu nog steeds niet oud genoeg voor die rol...' In werkelijkheid is Ronn Moss, de oudste Forrester-zoon Ridge, slechts zeven jaar jonger dan John.
Maar Bell besloot dat John kon doorgaan voor het hoofd van de Forrester-clan als hem licht grijzende slapen werden aangemeten (de natuur regelt dat nu voor hem). 'Bill deed het verhaal uit de doeken en ik vond dat ik hier echt geen "nee" tegen kon zeggen. Vanwege het feit dat het CBS was, dacht ik: "Dit is cool. Het moet goed gaan." Want zelfs als de serie zou mislukken, zou het zeker vijf jaar duren voordat we van de buis gegooid zouden worden.'
Maar, zoals bekend, de soap was geen zeperd. Inmiddels zijn de opnames in de achtste jaargang, maar *B & B* vertoont nog geen tekenen van verval. Integendeel, de internationale aantrekkingskracht en de publieke respons groeien nog steeds. En ook Johns rol groeide met de jaren. In de eerste paar jaar van de serie was John veroordeeld tot het vastzitten in een ellendig huwelijk en het adviseren van zijn (hopeloos) verliefde kinderen. Maar nu is Eric een centraal personage in verschillende verhaallijnen. 'In een serie van een half uur spelen

heeft iets interessants, vanwege de kleine bezetting,' vertelt hij. 'Met afleveringen van een half uur is er geen tijd voor drie hoofd- en vier ondergeschikte verhalen. Die ruimte hebben we niet. We hebben twee hoofdverhalen en twee in de coulissen. Het gaat over jou en als het nu even niet over jou gaat, dan gaat het over de persoon die pal naast je staat.'

John is zich ervan bewust dat hij de eerste drie jaar van *B & B* nodig had om Eric op gang te krijgen. 'Ik stond niet in het middelpunt omdat Stephanie en Eric Forrester het oudere echtpaar vormden dat het zat was hun relatie in stand te houden en de zaak al die jaren bij elkaar te houden voor de kinderen. We waren het apathische stel,' zegt hij. Pas toen Eric jongere vrouwen in de persoon van Brooke ontdekte, schoot hij omhoog in een voortdurend getouwtrek tussen hem en zoon Ridge.

We kunnen verwachten dat Eric er nog lang bij zal zijn. 'Bill verkent innerlijke emoties van personages heel langzaam en heel voorzichtig,' zegt John met grote bewondering. 'Hij laat personages niet opbranden. Door de plots kunnen de kijkers in de harten en hoofden van de personages kijken, terwijl in andere series de personages slechts het gegeven zijn om tot de plot te komen. Als je eenmaal een plot-georiënteerde serie doet, zal het mensen opbranden. In zo'n serie worden mensen namelijk neergeschoten, vermoord of naar de gevangenis gestuurd. Onze plots hebben te maken met de emoties van de personages.'

Statistische gegevens

Geboren: 20 juni 1945 in Californië

Burgerlijke staat: gescheiden van zangeres/danseres Juliet Prowse, met één zoon, Seth; getrouwd met actrice/schrijfster Laurette Spang op 16 februari 1980, met drie kinderen, Jake, Becky en Molly

Opleiding: Long Beach State College

Interesses: diepzeeduiken en binnenhuisarchitectuur

Onderscheidingen: 1990 MVP Award voor *Soap Opera Update*; 1977 Soap Opera Award voor Favoriete Mannelijke Nieuwkomer

Middagseries: THE YOUNG & THE RESTLESS, Lance Prentiss 1975-1980; THE BOLD AND THE BEAUTIFUL, Eric Forrester 1987-?

JAAR TWEE

'Ik had niet de bedoeling mijn zoon dood te schieten. Ik dacht dat hij een inbreker was.'

Wonen onder hetzelfde dak maakt het leven ingewikkeld, zo niet moeilijk, voor Ridge en de pasgetrouwde Thorne en Caroline. Om weg te komen haalt Ridge Brooke over om met hem mee te gaan naar de skihut van de familie in Big Bear. Haar broer, Storm, is overbeschermend en waarschuwt zijn zuster dat Ridge slechts op zoek is naar een speeltje. En dat is hij ook. Maar Brooke laat zich natuurlijk niet weerhouden van een romantisch samenzijn met Ridge; ze ziet het als de kans van haar leven. Maar dat valt tegen: ook Thorne en Caroline hadden skiplannen en arriveren eveneens in de hut. Een sneeuwstorm weerhoudt het viertal ervan te vertrekken en ze moeten het 's nachts met elkaar zien uit te houden. Als Caroline zich realiseert dat Brooke uit eigenbelang bewust de brief van Ridge voor haar achterhield, verbreekt ze de vriendschap met Brooke.

Ridge en Thorne vragen ieder afzonderlijk of Caroline bij Forrester wil komen werken zodat ze iets om handen krijgt. Maar in plaats daarvan besluit ze op haar vaders aanbod in te gaan en hoofdredactrice te worden van zijn nieuwe tijdschrift *Eye on Fashion*. Door bezig te zijn tracht ze haar gevoelens voor Ridge te onderdrukken, terwijl ze probeert haar huwelijk met Thorne een kans te geven.

Stephanie is zeer terughoudend in het accepteren van Brooke als Ridge' nieuwe vriendin. Ze voelt dat haar zoon iemand zou moeten vinden die hem in haar ogen meer waardig is dan de eenvoudige, volkse Brooke. Maar Stephanie wil ook Thornes huwelijk redden en doet daarom haar best om Brooke te accepteren, al had ze niet voorzien dat Ridge zelfs zo ver zou gaan om haar te laten intrekken in het Forrester-familiehuis.

Eric en Stephanie zijn het erover eens dat hun huwelijk faalt en dat hun seksleven niets meer voorstelt. Hij geeft toe dat hij een oude vlam ontmoet heeft en de twee bereiden zich voor op een scheiding. Maar wanneer Eric zich naar Beth haast met het goede nieuws, stelt zij zich zeer afstandelijk op. Doktoren hebben een knobbeltje in haar borst gevonden en ze weigert Eric te dichtbij te laten komen uit angst dat hij haar wankele gezondheidstoestand ontdekt. Brooke vertelt Eric echter in vertrouwen over haar moeders gezondheid en Eric haast zich naar Beth om haar zijn liefde en steun te beloven. Hij blijft aan haar zijde als zij voor een borstamputatie opgenomen moet worden.

Stephanie tast dan nog steeds in het duister over wie Erics hart heeft gestolen, al weet ze wel dat het een studieliefje is. Ze huurt een privé-detective in om alle vrouwen met wie Eric ooit wat heeft gehad, na te trekken en ze zoekt de jaarboeken na tot ze een foto van Liz Henderson tegenkomt. Verbijsterd staart Stephanie naar de foto: ze realiseert zich dat Liz Beth is, Brookes moeder! Wanhopig stuurt ze een detective op pad om Beth' vermiste echtgenoot Steven op te sporen – een hereniging van het echtpaar Logan is haar laatste kans om haar huwelijk te redden.

Terwijl Stephanie een eenzame strijd voert om haar huwelijk te redden, krijgt ze veel aandacht van de aantrekkelijke Clarke Garrison. De jonge ontwerper is van plan bij Stephanie in het gevlij te komen in de hoop dat zij hem een baan kan bezorgen bij Forrester Creations. Stephanie, dominant als altijd, koppelt Clarke aan de vrijgezelle Kristen. Clarke laat zich dat allemaal aanleunen, want de kans op een baan wordt alleen maar groter als hij niet een, maar twee Forrester-dames voor zich wint. Terwijl hij Kristen het hof maakt, blijft hij pogingen doen om Stephanie te verleiden. Kristen vertrouwt haar moeder toe dat ze vermoedt dat Clarke nog een ander heeft en zweert dat ze deze andere vrouw zal bevechten voor zijn liefde.

Maar het zijn niet alleen Kristen en Stephanie die om Clarke strijden. Nadat Kristen voor Clarke een baan als ontwerper bij Forrester Creations heeft geregeld, maakt de levendige Margo, Erics assistente, avances. Ze is teleurgesteld wanneer hij een 'vrouw' afwijst ten gunste van een onervaren 'meisje' als Kristen. Als Margo aandringt op een verbintenis raakt Clarke in paniek en haast zich met Kristen naar een vredesrechter. Na dit haastige huwelijk ontdekt Clarke dat Margo in verwachting is en dat ze van plan is Kristen de waarheid te vertellen.

Margo huurt Storm in om als haar advocaat op te treden en Clarke te vervolgen in het belang van haar ongeboren baby. Storm, zelf verliefd op Kristen en jaloers omdat hij haar heeft verloren aan Clarke, gaat met genoegen achter zijn aartsrivaal aan. Het duo komt overeen het ouderschapsproces te laten zitten als Clarke $ 100.000 betaalt voor het levensonderhoud van het kind. Hij probeert het geld van Kristen te lenen, maar als zij argwaan krijgt, sluit de opportunistische ontwerper een deal met de duivel. Hij aanvaardt het geld van Sally Spectra, een flamboyante roodharige zakenvrouw die een concurrerend ontwerpershuis runt. In ruil voor de $ 100.000 moet Clarke de Forrester-ontwerpen kopiëren zodat Spectra ze kan namaken.

Clarke denkt dat hij met het afkopen van zijn vaderschap overal van verlost is en Margo voorgoed uit zijn leven kan bannen. Maar een onwetende Kristen heeft medelijden met haar ongehuwde, zwangere vriendin en nodigt haar uit om bij haar en Clarke te komen wonen tot na de geboorte van de baby.

Rocco blijft afspraakjes maken met Katie, terwijl hij gevoelens koestert voor

Donna, die de luie Mark gedumpt heeft. Rocco's baas, Ridge, moedigt hem aan zijn droom te verwezenlijken en Rocco koopt een verlovingsring voor Donna die hij stiekem met een briefje in Donna's jaszak stopt. Hij is zich er echter niet van bewust dat Donna op dat moment Katies jack draagt. Als Katie de ring ontdekt, is ze verrukt en is Donna geschokt. Rocco verklaart de verwisseling aan Donna, die hem ervan overtuigt dat Katie veel te gevoelig is om de waarheid te horen. Na Katie maanden aan het lijntje te hebben gehouden, biecht Rocco de waarheid aan haar op, waarmee hij haar liefde en vriendschap verspeelt.

Intussen wordt Donna stapelverliefd op Nick Preston, het ambitieuze hoofd van een modellenbureau. Nick moedigt Donna aan voor lingeriefoto's te poseren en hij belooft haar een berg geld als ze naakt poseert voor Europese tijdschriften. Donna laat zich overtuigen, maar is met stomheid geslagen als ze naakt in het Amerikaanse blootblad *Temptation* staat, een blad dat wordt uitgegeven door niemand minder dan Bill Spencer. Het jonge model voelt zich verraden door Nick, die hierdoor bijna hun prille romance verwoest, maar hij overtuigt haar ervan dat Bill hun overeenkomst heeft geschonden door de foto's toch in de V.S. te gebruiken. Donna zint op wraak en met de hulp van Nick en Rocco ziet ze kans om naaktfoto's van Bill te maken. Ze zetten een plan in werking om Bill als centerfold in zijn eigen blad *Stud* te publiceren. Bill gaat vreselijk af, maar tegen de tijd dat het blad uitkomt, is Donna bevriend geraakt met Bill en heeft ze eigenlijk spijt van haar stunt.

Stephanies detective vindt Steven Logan in Tucson, Arizona. Stephanie schrijft Brooke en Donna een anonieme brief waarin ze hun het adres van hun vader geeft. De zusters vliegen erheen om hem op te sporen en Donna weet haar vader ervan te overtuigen dat hij naar huis terug moet gaan. Storm is bitter over zijn vaders thuiskomst en wenst dat zijn vader 'dood' gebleven was. Maar voor Donna en Katie is een mogelijke verzoening tussen hun ouders als een droom die waarheid wordt. Beth verzekert Eric dat Stevens terugkeer hun toekomst niet zal beïnvloeden, maar Stephanie laat niets aan het toeval over. Ze regelt dat Steven een lucratieve baan in de uitgeverij van Bill Spencer krijgt, zodat hij in ieder geval in de buurt blijft.

Terwijl Stevens terugkeer de relatie tussen Eric en Beth onder druk zet, heeft Stephanie zonder het te weten de sleutel in handen tot het terugwinnen van haar echtgenoot. Al jaren brengt Stephanie mysterieuze bezoeken en doet ze geheimzinnige betalingen aan een arts. Eric ontdekt dat zijn vrouw het bestaan van hun gehandicapte dochter Angela al die jaren geheim heeft gehouden. Hij dacht dat het kind bij de geboorte was overleden – een verhaal dat Stephanie hem op de mouw speldde omdat zij Eric niet wilde belasten met de toestand van het meisje. Stomverbaasd over het offer dat zijn vrouw voor hem heeft gebracht, stelt Eric de scheiding uit. Als Stephanie dan tot overmaat van ramp ook nog met Bill regelt dat Steven naar Parijs wordt overgeplaatst, dringt Eric er bij Beth op aan dat zij zich bij haar man in Frankrijk voegt om te proberen haar huwelijk te redden.

Er komt geen eind aan de flirt tussen Ridge en Caroline, tot grote woede van Brooke en Thorne. Na een feestje om het eerste nummer van *Eye on Fashion* te vieren, raken Ridge en Caroline licht aangeschoten. Terwijl Thorne beneden in de keuken een snack nuttigt, glipt Ridge bij wijze van grap het bed van zijn broer in. De dronken, slaperige Caroline ziet Ridge voor haar man aan en de twee bedrijven de liefde.

Maanden later hoort Thorne toevallig Stephanie het incident bespreken met Eric. Woedend en onder invloed van alcohol en slaappillen, pakt Thorne een pistool en schiet Ridge neer. Stephanie is de enige getuige van het misdrijf en dekt Thorne, die het gruwelijke incident heeft verdrongen en zich niets meer herinnert van zijn razernij of de aanleiding daartoe. Wanneer het politieonderzoek te dicht bij de waarheid komt, neemt Stephanie de schuld op zich door te zeggen dat zij Ridge per ongeluk heeft neergeschoten. De politie gelooft haar verhaal niet, maar ze hebben geen andere keuze dan haar te arresteren.

Ronn Moss
(Ridge Forrester)

De onwaarschijnlijk knappe Ridge Forrester heeft nooit problemen gehad met het krijgen van vrouwen, maar ze te houden, dat is een heel ander verhaal! Margo... Alex... Caroline... Brooke... Taylor... zoveel vrouwen, zo weinig tijd. Van zijn gespierde lichaam tot zijn getalenteerde ontwerpershanden, Ridge gooit alles in de strijd en hij krijgt dan ook meestal wat hij wil. Waarom is deze man dan toch altijd zo ongelukkig?

Zijn muzikale start
Ronn Montague Moss, zijn broer Stephen en zijn zus Linda groeiden op in Los Angeles. De familie is bekend met de showbusiness: zijn vader is producer en impresario van beroemde klassieke musici en zijn moeder gaf paardrijlessen aan beroemdheden als Elizabeth Taylor. Vader en moeder Moss waren dan ook niet echt blij toen zoon Ronn liet blijken dat hij ook 'het vak' in wilde, want ze wisten hoe het eraan toeging in de wereld van de glitter en de glamour en zagen liever dat hun zoon een ander, 'veiliger' beroep koos. Maar dat weerhield de energieke jongeling natuurlijk niet. Op z'n elfde leerde hij zichzelf drummen en daarna legde hij zich toe op gitaarspelen. Toen hij zijn ouders vertelde dat hij beroepsmuzikant wilde worden, antwoordden zij: 'Ga weg en zoek een echte baan.'

Ronns idee van een echte baan was een jazz-trio genaamd Dogbreath. De band speelde tijdens feesten op middelbare scholen en uiteindelijk in vervallen nachtclubs in het gevaarlijke East Los Angeles. 'We logen over onze leeftijd,' vertelt Ronn. 'We waren dertien, veertien of vijftien, maar we zagen er ouder uit. In de clubs speelden we samen met andere bands en we waren behoorlijk goed, al zeg ik het zelf.'

Omdat ze minderjarig waren, glipten Ronn en zijn vrienden vaak naar binnen via de achteringang. Een keer, toen ze tijdens een politieke bijeenkomst in de roerige jaren '60 speelden, werd de band gearresteerd en naar de gevangenis gebracht. De jongens bleven tot vier uur 's morgens achter de tralies totdat een van hun ouders kwam opdagen om de borg te betalen.

Ronn bleef optreden met bands met vreemde namen als Count Zeppelin, The Fabled Airship en Punk Rock. De laatste trad ooit zelfs op voor een psychiatrische afdeling. 'We speelden toen onze meest bizarre nummers,' herinnnert hij zich gniffelend. 'De patiënten vonden het te gek. Het klinkt heel bizar, maar het was dikke pret.'

Toen hij in 1976 naar de University of California, Los Angeles ging, verenigden Ronn en zijn muzikale partner John Friesen zich met J.C. Crowley en Peter

Beckett om de groep Player op te richten. Het viertal probeerde van alles om gehoord te worden door platenproducers, maar ze ontdekten al gauw dat de directe benadering de beste manier was. 'We gingen met onze gitaren naar ze toe en we zongen op talloze kantoren voor producers, omdat we het idee hadden dat een cassettebandje gewoon in een la zou verdwijnen.'

Player repeteerde dag en nacht in Crowley's door spinnen en kakkerlakken geteisterde garage in de Hollywood Hills. Hun vasthoudendheid loonde ten slotte: uiteindelijk werden ze opgemerkt door producer Robert Stigwood, die de band onderbracht bij zijn label RSO Records. Bij RSO maakten ze de albums *Player* en *Danger Zone* en in 1978 stond hun nummer *Baby Come Back* vier weken op nummer 1 in de hitparade. Player werd datzelfde jaar verkozen tot Billboards erelijst van 'Beste Nieuwe Single-artiesten'. De groep nam vervolgens hun laatste album, *Room With A View*, op voor Casablanca Records.

In 1981 had de muziekscene voor Ronn z'n magie verloren en Player viel uiteen toen Ronn de groep verliet.

Fase twee

Ronn was er klaar voor verder te gaan met zijn leven en carrière. Tijdens de laatste twee jaar met de band volgde hij acteer-lessen bij enkele van de grote acteercoaches: Charles Conrad, Chris O'Brien, Kathleen King en Peggy Feury. 'Ik voorzag dat ik niet eeuwig in een rock & roll-band wilde blijven,' vertelt hij. 'Mijn bedoeling was om op een gegeven moment in films te gaan spelen en toen ik de groep verliet, was ik er klaar voor om die weg in te slaan.'

'Je kunt muziek maken zonder veel contact met andere mensen te hebben,' vervolgt hij. 'Maar als je acteert, moet je met anderen samenwerken om de rol van de grond te krijgen. En ik denk dat ik meer in de wereld wilde gaan staan om mijn horizon te verbreden. Acteren leek me een legitieme manier om dat te doen. Films hebben me altijd gefascineerd... en het acteren heeft me beslist geholpen om meer uit m'n schulp te kruipen.'

De kersverse acteur deed auditie bij ABC, dat hem een tweejarig contract gaf en hem inschreef voor het ontwikkelingsprogramma voor talenten. Hoewel hij op het contract nooit een serie of een ABC-soap kreeg, werd hij in 1982 aangezocht voor een rol in de Italiaanse film *Hearts and Armour, een* speelfilm over het leven van Orlando Furioso, die ook als internationale mini-serie werd opgenomen met in de hoofdrollen acteurs als Tanya Roberts (*CHARLIE'S ANGELS*) en Leigh McCloskey (*DALLAS*). Ronn vertrok naar Rome en Sicilië, waar de film werd opgenomen. Ironisch genoeg herkende toen niemand de jonge acteur, maar sinds het gigantische succes van *B & B* in Europa kan Ronn niet door Italië reizen zonder herkend te worden door wild-enthousiaste fans.

Vijf jaar ploeterde Ronn als onbekend acteur. Zijn gebeeldhouwde uiterlijk met de geprononceerde kaaklijn bezorgde hem kleine rolletjes in diverse films, waaronder de weinig bekende B-film *Hot Child In the City* uit 1986 met Shari Shattuck in de hoofdrol. Ronn en Shari hadden samen voor de camera een liefdesscène en die liep uit op een relatie: ze trokken bij elkaar in en uiteindelijk volgde er een huwelijk. 'We deden onze eerste filmkus tijdens een broeierige nachtclubscène,' herinnert hij zich. 'En dat was het begin.'

Shari moet Ronn geluk gebracht hebben, want een jaar na hun ontmoeting deed hij auditie voor de rol van Ridge Forrester bij B & B en schepper Bill Bell was meteen enthousiast.

Als de romantische hoofdrolspeler in de serie, werd Ronn opgezadeld met veel dialoog. Shari hielp hem 's avonds met het leren van zijn tekst voor de volgende dag en de acteur zegt veel over acteren geleerd te hebben van zijn doorgewinterde collega's en t.v.-ouders, Susan Flannery (Stephanie) en John McCook (Eric). Terwijl Ridge een luierende gigolo was toen de serie van start ging, vertelt John, had Ronn bij lange na niet zo veel zelfvertrouwen als zijn alter-ego op t.v. 'Ronn was lang, verrukkelijk en bekwaam, maar niet zeker van zichzelf toen we begonnen,' zegt de acteur. 'Maar hij heeft er precies van gemaakt wat het moet zijn. Hij ontdekte wat de leemte was in de serie... hij vult die prachtig op en doet dat elke dag beter. Ronn is een volleerd hoofdrolspeler. Je moet hem dat nageven. Wie dat niet doet, maakt me echt kwaad.'

Ronn is het ermee eens dat hij zich nu voor de camera veel meer op z'n gemak voelt dan toen de serie in 1987 van start ging. 'Dit specifieke medium, dag-drama, is waarschijnlijk een van de meest stressrijke vormen van acteren, want je moet heel veel werk verzetten in heel weinig tijd,' zegt hij. 'Als je dit werk gaat doen nadat je hebt gewerkt bij avond-t.v. of films, die beide een veel trager tempo kennen, dan bestaat de kans dat je van een koude kermis thuiskomt. De hoeveelheid werk die je geacht wordt te doen, is namelijk reusachtig. Ik voelde me toen we begonnen helemaal niet op m'n gemak en het kostte me onnoemelijk veel energie om de teksten te leren en om gewend te raken aan de tijdsdruk.'

Het huwelijksleven

In tegenstelling tot Ridge, is Ronn geen vrouwenversierder. 'De meeste romances die ik had, had ik met vriendinnen, mensen die ik al lang kende en bij wie ik me op m'n gemak voelde,' bekent hij. 'Ik was echt niet een van die jongens die van vrouw naar vrouw stuiterden alleen maar om een relatie te hebben. Ik stak mijn tijd in repeteren en het oefenen van mijn muziek, ik werkte bij de groep, dus veel tijd had ik niet om op rokken te jagen.'

In Shari heeft Ronn iemand gevonden die zijn liefde voor het buitenleven deelde. Samen houden ze van schaatsen, fietsen, zwemmen, diepzeeduiken en wandeltochten. In 1989 ondernam het paar een grote wandelsafari door Kenia met collega Teri Ann Linn (Kristen) en haar echtgenoot. Te midden van de luipaarden en hyena's piepten Ronn en Shari er even tussenuit: ze werden getrouwd door twee Masai-oudsten.

Het paar blijft buiten het voetlicht van Hollywood en ze gaan buiten het werk zelden om met Ronns B & B-collega's. Samen zijn ze naar Italië geweest om de soap te promoten en ze speelden daar in een mini-serie genaamd *THE BARON*. Shari verscheen één keer in *B & B* in het kleine rolletje van Heather, Ridge' oude vlam die hij inzet in de hoop dat hij Brooke terug kan drijven naar Eric. Tegenwoordig is het echtpaar zeer huiselijk en spelen ze met hun dochter, Creason Carbo. 'Voor mijn dochter zocht ik een naam die niemand anders had,' vertelt Ronn. Het paar wist het geslacht van de baby enkele maanden voor haar geboorte begin 1994, maar hield de naam top-secret voor het geval iemand anders die wilde lenen voor hun eigen gelukkige gebeurtenis. Creason werd drie weken te vroeg geboren en kwam thuis in een incomplete kinderkamer, vertelt Ronn. Shari's vader bouwde een wieg voor de kleine, die prima was voor een dutje, maar Creason deelde 's nachts het bed van haar ouders.

Hoewel hij zeker weet dat hij streng zal zijn voor zijn dochter, zal hij Creason nooit weerhouden van een carrière als actrice, als dat de richting is die ze verkiest. Zelf bekritiseerd door zijn eigen ouders, weet Ronn uit eigen ervaring hoe het is om niet gestimuleerd te worden in het volgen van je dromen. 'Ik zou mijn kind nooit ontmoedigen zoiets te doen, omdat dat mij is overkomen,' zei hij ooit. 'Ik werd in vele dingen ontmoedigd. Maar hoe meer ik werd ontmoedigd, hoe meer ik het wilde.'

Het dekhengst-image
Ronns acteerprestaties worden vaak overschaduwd door zijn opvallend knappe uiterlijk. Terwijl hij zich realiseert dat zijn uiterlijk deels verantwoordelijk is voor zijn succes, zou hij liever niet de geschiedenis ingaan als soap-seksbom. 'Het is vlijend als mensen je aantrekkelijk vinden, maar ik denk dat mensen vele andere vlijende opmerkingen en termen in plaats van deze kunnen gebruiken. Het is seksistisch als je op die manier over vrouwen praat, maar voor mannen geldt natuurlijk precies hetzelfde. Wat dat betreft zitten we in hetzelfde schuitje. Ik streef liever naar de perfectie die in deze kunstvorm te bereiken is dan naar zoiets oppervlakkigs als een perfect uiterlijk.'

Vanwege zijn showbinkachtige t.v.-personage en zijn jaren als rock & roller, zullen kijkers verrast zijn te horen dat de acteur in het echt een erg verlegen en rustig mens is. 'Ik denk dat velen van ons worden geboren met zekere sociale vaardigheden, anderen missen die echter... en we moeten ofwel proberen ze te verwerven of door het leven gaan als vrij verlegen in alles,' zegt hij. 'Acteren heeft mij geholpen... maar een van mijn leukste periodes was toch rock & roll spelen. Ik werd een compleet ander mens. Ik was in het echt veel verlegener dan op het podium. Het podium gaf me de gelegenheid me helemaal te laten gaan. Het was een manier om een andere rol te spelen en iets te worden dat ik niet was.'

Hoewel Ronn nog geen Emmy-nominatie voor acteren ten deel is gevallen, gaat zijn werk niet onopgemerkt voorbij aan de fans. Kijkers kiezen jaarlijks De Meest Waardevolle Speler (MWS) uit die serie in een verkiezing die wordt georganiseerd door het tijdschrift *Soap Opera Update*. In zijn zeven jaar bij

B & B heeft Ronn drie van de beeldjes mee naar huis genomen en daar is hij zijn fans dankbaar voor. 'Ik ben nooit zo voor het uitstallen van onderscheidingen in mijn huis geweest,' bekent hij. 'Ik heb niet eens mijn gouden platen uit de Player-tijd hangen... ze zitten in een kartonnen doos in een achterafkamertje. Maar ik heb mijn MWS-onderscheiding op de plank in mijn kantoor staan.'

Statistische gegevens
Geboren: 4 maart 1952 in Los Angeles, Californië
Burgerlijke staat: getrouwd met actrice Shari Shattuck, met een dochter, Creason Carbo Moss, geboren op 26 februari 1994
Opleiding: UCLA
Hobby's: fotografie, zingen, Oosterse vechtsporten, schilderen, fietsen, skiën
Onderscheidingen: 1988, 1992, 1993 MWS-onderscheiding van *Soap Opera Update*; 1978 Billboards erelijst van beste nieuwe single-artiest met zijn band Player
Dagdrama's: THE BOLD AND THE BEAUTIFUL, Ridge Forrester, 1987-?

Katherine Kelly Lang
(Brooke Logan-Forrester)

Brooke Logan was een mooie, jonge chemica uit de San Fernando Vallei, Los Angeles, die niets liever wilde dan boven haar stand trouwen. Haar ambitie bracht haar in contact met de machtige familie Forrester – en haar leven is sindsdien met hen verbonden geweest. Ze konkelde om de knappe Ridge bij Caroline weg te krijgen en ging er uiteindelijk vandoor met de vader, Eric, waardoor ze de nietsontziende toorn van Stephanie over zich afriep.

Hoewel ze gelukkig is mevrouw Forrester te zijn, blijft ze smachten naar Ridge – een verlangen dat uiteindelijk haar huwelijk met Eric kapotmaakt. Maar als Brooke haar huwelijksbanden verbreekt en zich eindelijk naar Ridge spoedt, is hij juist een relatie aangegaan met de mooie Taylor Hayes. De saga van de ongelukkige geliefden is nog steeds de belangrijkste verhaallijn in *B & B*.

Stevig verankerd in de showbusiness

Ze is blond. Ze is mooi. Ze woont in het schitterende Malibu met haar man en twee kinderen, in een huis met uitzicht op de Stille Oceaan. Ze heeft alles. Maar als je Katherine Kelly Lang eind jaren '70 gevraagd zou hebben wat ze vandaag de dag zou doen, had ze je verteld dat ze beroepsamazone zou zijn. In plaats daarvan is ze een van de populairste en herkenbaarste gezichten in soapopera's geworden.

Is het echt verrassend dat de Zuidcalifornische voor de camera terecht is gekomen? Haar moeder, Judith Lang, was in de jaren '60 film- en t.v.-actrice. Haar vader, Olympisch schansspringer Keith Wegeman, speelde de Jolly Green Giant in reclamespotjes op t.v. En haar grootvader, Charles Lang, was een vermaard filmmaker. Het was slechts een kwestie van tijd voor Katherine – of Kelly zoals familie en vrienden haar noemen – de acteerstap waagde.

'Ik heb twaalf jaar lang in reclamespotjes geacteerd,' vertelt Katherines moeder. 'Ik was ingehuurd voor een Goodyear Banden-spotje en ik had niemand om op Kelly te passen, dus er zat niets anders op dan haar mee te nemen. Zo gauw we de studio inkwamen, besloten de producers dat mijn dochter van drie een fantastische verrijking van de spot zou zijn.'

'Mijn moeder wilde niet dat een van ons het zou gaan doen. Maar mijn zus Tracy, een jaar ouder dan ik, en mijn broer Jeff, twee jaar jonger dan ik, en ik waren op de een of andere manier toch in de wereld van de commercials terechtgekomen,' vertelt Katherine. De kinderen werden aangemoedigd door hun vader, maar moeder Judith hield het acteren in 1970 voor gezien. Ze ging natuurgeneeskunde studeren aan het Santa Fe College of Natural Medicine.

Toen Katherine twaalf was, verhuisde het gezin naar Pebble Beach aan de kust van Centraal Californië – ver weg van de studio's en het acteren. Maar het lot bracht hen ook weer terug naar L.A., waar Kelly het laatste jaar van haar middelbare school afmaakte op Beverly Hills High, de school die model stond voor die in *BEVERLY HILLS 90210*. Na haar eindexamen had Kelly plannen om naar de University of California, Los Angeles, te gaan, maar in de zomervakantie na haar examen bezocht ze de set van de speelfilm *Skatetown U.S.A.* waar haar vriendje een rol in had en wat gebeurde er? Ze kreeg een van de hoofdrollen! 'Ze hadden nog niemand ingehuurd voor de rol van zijn vriendinnetje en ze riepen meteen dat ik geknipt zou zijn voor die rol,' herinnert ze zich. 'Dat deed de deur dicht. Ik heb m'n studie meteen uit m'n hoofd gezet. Ik dacht: 'Oh, dit is geweldig, dit gaat me werk opleveren.' Maar zo makkelijk was het niet. Het duurde een tijdje voor ik weer werk had.' Een van de redenen waarom het een poos duurde eer Katherine een andere klus kreeg, was dat de film een flop was. Van de disco-rolschaatsfilm werd gezegd dat hij te luchthartig en te traag was. Overigens, de film was niet alleen Katherines debuut, het was ook de eerste film voor danser-acteur Patrick Swayze (*Dirty Dancing*).

De titelrol vermeldde Katherine als 'Kelly Lang', de naam die ze gebruikte als actrice. 'Ik ben altijd Katherine geweest, maar toen ik opgroeide, noemden mijn familie en vrienden me Kelly. Dus toen ik begon met acteren, ging ik Kelly gebruiken,' zegt ze. Maar er ontstond verwarring tussen Kelly Lang en Kelly Lange, een populaire NBC-nieuwslezeres uit Los Angeles. Om verdere verwarring te voorkomen, gebruikte Katherine al gauw weer haar echte naam, al bleven haar collega's haar wel Kelly noemen.

Verder gaan

Katherine heeft veel bereikt sinds die dagen. Maar voor het zover was, werd ze eerst voor allerlei f-films gecast – waarbij de f voor fiasco staat. Zo was er de zwarte magie-film '*Evilspeak*' uit 1982. Daarna volgde een hoofdrol in de film '*The Night Stalker*' uit 1985 over een seriemoordenaar die prostituées nazit. Die film werd door zoveel problemen omgeven dat hij pas twee jaar later in roulatie ging. In de tussentijd had ze verschillende kleine gastrolletjes in t.v.-series als *MAGNUM P.I.*, *HAPPY DAYS* en ze had zelfs een kleine rol als Gretchen in *THE YOUNG & THE RESTLESS*. Haar blonde haar en haar perfecte lichaam bezorgden haar in het begin van de jaren '80 ook rolletjes in bijna alle videoclips van de Beach Boys.

Maar het was haar rol in *B & B* die haar grootste doorbraak betekende. Ironisch genoeg had Katherine haar agent altijd verteld dat ze niet in een soap wilde spelen en dat ze *nooit* een langlopend contract wilde tekenen. Nu, acht jaar later, is ze dik tevreden met haar dagelijkse werk en blij dat haar twee kinderen zeer wel varen bij haar succes. 'Hoe langer ik in de serie zit, hoe meer ik leer over acteren... en hoe mooier m'n bankrekening wordt,' zei ze ooit openhartig.

Ze blijft evenwel verlangen naar een speelfilmcarrière. In 1994 nam ze een low-budgetfilm genaamd *Till the End of Night* op met model-acteur John Enos, waarin ze een 'vrouw in gevaar' speelt. Met een nieuwe speelfilm op zak maakte Katherine kenbaar aan de pers dat ze na het aflopen van haar contract in juni '94 wellicht andere projecten zou aanpakken. Maar zo makkelijk kwam ze natuurlijk niet van Bill Bell af: er volgden onderhandelingen over een nieuw contract en men slaagde erin haar nogmaals voor enkele jaren te binden aan de soap. 'Waarom zou ik niet blijven,' zei ze nadat de deal gesloten was. 'Ik zit hier goed en ze hebben me ruim de gelegenheid gegeven om andere projecten te doen.' Een van de toekomstige projecten die ze hoopt te doen is een speelfilm die door haar echtgenoot geregisseerd zal worden.

De *B & B* babymaker
In het begin van *B & B*, raakte Brooke zwanger door Ridge. Katherine was net getrouwd met filmregisseur Skott Snider en was op dat moment zelf niet zwanger. Brooke kreeg evenwel een miskraam en Ridge trouwde met Caroline. Slechts een paar maanden later was Katherine echter wel in verwachting en toen hadden de producers de keus: de zwangerschap verbergen en een verhaal verzinnen over gewichtstoename van de actrice of de zwangerschap in de verhaallijn verwerken. *B & B* koos ervoor Brooke nogmaals te laten bevruchten, maar omdat Ridge al met een andere vrouw was getrouwd, werd Brooke snel in een romance geslingerd met zijn vader, Eric.
In september 1990 kreeg Katherine een prachtige zoon, Jeremy Scott, en een paar weken na de bevalling stond de kersverse moeder alweer voor de camera's. Katherine nam Jeremy de eerste paar jaar mee naar de studio en de producers vroegen haar of Jeremy de rol van Eric jr. mocht spelen. Aanvankelijk weigerde de actrice, omdat ze niet wilde dat haar kind blootgesteld zou worden aan de felle televisielampen. Maar toen Jeremy drie maanden was, wisten de producers Katherine toch over te halen, al bleef Katherine uiterst voorzichtig. Zo mogen baby's niet langer dan vijf minuten per keer blootgesteld worden aan de lampen en Katherine verzekerde zich ervan dat iedereen volgens het boekje werkte. Nu, vier jaar later, speelt Jeremy nog steeds Eric Jr.
'Het is fantastisch, omdat het bij Jeremy echt heel natuurlijk gaat. En hij vindt het echt leuk. Bovendien lukt een scène met hem meestal in één keer en zelfs toen hij nog maar zo klein was, huilde hij zelden of nooit. Hij is zo vrolijk; hij lacht overal om. In de scènes zit hij naar mij te kijken of hij speelt ergens mee, wat hij normaal ook doet.'
'Dat hij in de serie zit, is voor ons allebei nieuw. Ik bewaar elke aflevering waar we samen in zitten, zodat we het later kunnen bekijken. En ik bewaar al zijn fanmail. Ja, hij krijgt fanmail. Het is echt grappig.'
Incidenteel werken is echt anders dan een vaste rol in een soap en Katherine wil het niet zover laten komen voor Jeremy. 'Ik zou hem nooit aansporen dit vak in te gaan. Ik wil dat hij een jeugd heeft. Ik wil niet dat hij in een serie

komt waardoor hij niet naar school kan en een leraar op de set moet hebben,' zegt ze, 'want dat vind ik vreselijk. Ik denk dat kinderen altijd een beetje typisch worden als dat gebeurt. Maar als hij wil blijven werken, terwijl hij een normaal leven leidt en naar school gaat, is dat prima. Natuurlijk kan hij op z'n achttiende zijn eigen beslissing nemen; en we zullen achter hem staan, wat hij ook doet.'

In 1992 raakte Katherine weer in verwachting en, natuurlijk, Brooke ook. Alleen, het grote verschil tussen de werkelijkheid en de soap is dat Katherine een tweede zoon, Julian, kreeg, terwijl Brooke een dochter kreeg toebedeeld in de serie. Het vaderschap van Brookes dochter, Bridget, is ditmaal een vraagteken – Eric en Ridge komen er beiden voor in aanmerking.

Voor Julian is er dus geen rol weggelegd in de soap: 'Hij heeft vanaf het begin nooit op een meisje geleken. Hij ziet er duidelijk uit als een jongen,' legt Katherine uit. Zelfs met een strik op zijn hoofd zou hij niet voor Bridget hebben kunnen doorgaan – iedereen zou vragen: "Wat doet die jongen met een roze strik op z'n hoofd?" Nee, dat zou niet werken.'

Of Brooke nog meer kinderen krijgt is niet zeker, maar Katherine zegt dat ze wellicht nog niet 'uitgekinderd' is. 'Misschien nog ééntje. Mijn echtgenoot gaat gillen als hij me hoort, maar hij draait wel bij,' gniffelt ze.

De schoonheid in haar

Katherine heeft een natuurlijke, gezonde schoonheid en het is dan ook niet verwonderlijk dat zij met haar blonde haar en blauwe ogen in Europa nogal wat successen boekte als model. Maar nu ze begin dertig is en twee kinderen heeft, begint ze kleine dingen op te merken die het ouder worden met zich meebrengt. 'Elke dag zit iets anders me dwars,' zegt ze. En natuurlijk moet ze hard werken om haar lichaam in vorm te houden. Met name na de bevalling van Julian was het voor haar een zware klus om weer op haar oude gewicht te komen. Maar het lukte haar wonderwel en de producers zetten haar dan ook meteen weer in badpakken bij het zwembad van de Forresters. Voor Katherine is schoonheid evenwel niet iets oppervlakkigs. 'Schoonheid is voor mij wat van binnen zit. Ik heb enkele hele mooie mensen gezien die niet mooi zijn als ze praten. Het tegenovergestelde komt ook voor.'

Met twee kinderen op sleeptouw en een druk opnameschema heeft Katherine zelden tijd om naar de sportschool te gaan en te trainen. In plaats daarvan krijgt ze veel beweging door paardrijden en natuurlijk let ze ook op wat ze eet. 'Ik probeer niet te lijnen. Ik probeer verstandig te eten,' zegt ze. 'Soms eet ik iets dat niet goed is voor me, maar in principe eet ik gezond. Ik eet veel salades, vis en groenten. En ik drink veel water. Als ik goed eet, heb ik geen moeite om op gewicht te blijven.' Salades zijn een specialiteit van haar, al geeft ze ruiterlijk toe dat salade ook het enige is dat ze kan maken. 'Ik kan niet koken,' bekent ze.

Wereldkampioene in spe

Binnen enkele maanden na de geboorte van Jeremy was Katherine genoeg in vorm om deel te nemen aan een triathlon waarvoor ze anderhalve kilomter moest zwemmen, 27 kilometer moest fietsen en $7\,^1/_2$ kilometer moest hardlopen. Ze deed er twee uur over en hoopt die tijd jaarlijks te verbeteren. Daarnaast is de sportieve Katherine gek op paardrijden. 'Ik begon op een pony toen ik nog maar net kon te lopen. Op mijn elfde had ik rijles en op m'n twaalfde begon ik aan wedstrijden mee te doen.' Die wedstrijden bestonden uit springen, dressuur en een dansachtige oefening. Toen hoopte ze ooit nog eens de Olympische Spelen te bereiken – een droom die nooit is uitgekomen. Wel is ze nu de trotse bezitster van vijf paarden. Op twee daarvan rijdt ze eens per maand cross-country uithoudingsproeven van 75 of 150 kilometer en meestal eindigt ze bij de eerste tien en soms wint ze de race zelfs. 'Toen ik het me eindelijk kon permitteren, kocht ik natuurlijk onmiddellijk mijn eigen paarden en niet lang daarna raakte ik verslaafd aan uithoudingsproeven,' vertelt ze. De actrice is hard aan het trainen om naar de National Championship Series in de Verenigde Staten te kunnen, in de hoop haar sport op wereldniveau te kunnen uitoefenen. 'Ik wil wereldkampioene worden,' legt ze uit. 'Ik heb mijn doelen niet te hoog gesteld, toch?'

Werken met Katherine

Katherine is een van de populairste en meest geliefde vaste acteurs uit *B & B*. Ze is praktisch opgegroeid in de soap en haar mannelijke tegenspelers haasten zich haar te complimenteren: 'Katherine is lachen. Ze heeft de meest fantastische lach,' zegt Ronn Moss (Ridge) over haar. 'Een van onze regisseurs zegt dat als hij ooit neerstort met een vliegtuig, hij naast Katherine wil zitten, zodat het laatste wat hij hoort die lach zal zijn. Die maakt inderdaad alles goed. Ze is leuk om mee te werken en het klikt heel goed tussen ons.' Ridge en Brooke zijn bijna van het begin van de serie af ongelukkige geliefden geweest en hun problematische romance vertoont nog geen tekenen van verslapping. 'Ik denk dat we een spontanere relatie in de serie gaan krijgen. We hadden nooit verwacht zo lang door te gaan met Brooke en Ridge, maar het gaat geweldig, dus het einde is nog lang niet in zicht!'

John McCook (Eric) speelde een van Brookes echtgenoten. Hoewel hun huwelijk strandde, blijven de twee met elkaar werken – soms met meningsverschillen – bij Forrester Creations. 'Katherine is aan de buitenkant zo schattig om naar te kijken, dat je vergeet te luisteren naar wat ze vertelt. Maar tussen al haar grappen en grollen door zegt ze serieuze dingen, dus je moet wel degelijk goed naar haar luisteren,' lacht John McCook. 'Ik werk al lang met haar en ben met haar (personage) getrouwd geweest en nu doen we enkele scènes waarin we als vrienden met elkaar omgaan en dat vind ik ook fantastisch. De romantische scènes waren natuurlijk verrukkelijk, maar de scènes met Eric en Brooke als vrienden vind ik toch leuker om te doen.'

In de acht jaar dat de serie loopt is Brooke eindelijk buiten de familie Forrester gaan kijken voor een minnaar en krijgt ze een romance met de mysterieuze en opwindende James Warwick, vertolkt door acteur Ian Buchanan. 'Heel weinig mensen kunnen me aan het lachen maken, maar zij kan het,' zegt hij over zijn collega. 'Ze is zo grappig. We hebben veel plezier. Ze neemt haar werk serieus, maar zichzelf niet, en dat is heel bijzonder.'

Statistische gegevens
Geboren: 25 juli in Los Angeles, Californië
Burgerlijke staat: getrouwd met Skott Snider, met twee zonen, Jeremy en Julian
Opleiding: Beverly Hills High School
Hobby's: paardrijden, surfen, tennis, skiën
Onderscheidingen: 1990 nominatie voor een Soap Opera Award voor Bijzondere Heldin; twee keer achter elkaar MVP-onderscheidingen van *Soap Opera Update*
Dagdrama's: THE YOUNG & THE RESTLESS, Gretchen; THE BOLD AND THE BEAUTIFUL, Brooke Logan Forrester, 1987-?

Joanna Johnson
(Caroline/Karen Spencer)

Caroline Spencer was de getergde en maagdelijke onschuld toen de serie begon. Door haar dominante vader groeide ze op zonder besef van haar eigen identiteit. Toch was ze een oprecht goede meisjesheldin met een hart van goud. Nadat ze verraden was door playboy Ridge wendde ze zich tot Thorne. Hun huwelijk ontbeerde evenwel het vuur dat tussen haar en Ridge wel had bestaan en ze bleef verlangen naar Ridge in haar leven en haar bed. Toen ze uiteindelijk beiden hun banden verbraken, leek hun niets meer in de weg te staan. Ze hadden een sprookjeshuwelijk en leken voorbestemd voor het geluk. Maar het noodlot kwam tussenbeide: slechts enkele maanden na de huwelijksvoltrekking huilden miljoenen mensen toen de nieuwe mevrouw Forrester stierf aan leukemie.

Anderhalf jaar later doet een jonge vrouw genaamd Faith Roberts, die veel op Caroline lijkt, haar intrede. Ze is niet zo verfijnd als Caroline Spencer, maar haar trekken zijn vrijwel identiek. Bill Spencer onthult dat Carolines tweelingzus bij de geboorte werd ontvoerd en hij is dan ook dolgelukkig dat de uitbundige Faith in feite zijn dochter Karen is. Men moet uiteraard zeer aan Karen wennen; zeker Ridge die de dubbelgangster van Caroline tegenkomt aan de vooravond van zijn huwelijk met Taylor. Thorne gaat zelfs zo ver dat hij een relatie met Karen begint in de hoop weer zo'n liefde te vinden als die hij destijds voor Caroline voelde, maar deze vrouw mag dan uiterlijk veel op Caroline lijken, innerlijk is zij totaal anders en mag zij zeker niet met haar zus worden verward. Karen is een vrouw van de jaren '90: stoer, onafhankelijk en zakelijk. De frêle Caroline is dood; moge zij rusten in vrede.

Een tragisch leven achter de schermen
Joanna groeide op in Phoenix, Arizona, als het derde kind in een gezin met drie dochters en een zoon. Haar vader was makelaar in landbouwprodukten. Joanna's vroege jaren werden sterk beïnvloed door de dingen die ze op televisie zag. THE BRADY BUNCH, THE CAROL BURNETT SHOW en THE PARTRIDGE FAMILY waren haar favoriete series en ze gebruikte t.v. om te ontsnappen aan de realiteit van haar eigen probleemrijke gezin. 'Zelfs al leefde ik in een volledig ontspoord gezin, ik geloofde in wat ik op t.v. zag,' zei ze ooit in een interview. 'Ik geloofde dat het mogelijk was om in een gelukkig, veilig gezin te leven.'

Joanna gebruikte haar fantasie om die delen uit haar leven te bannen die niet zo plezierig waren. Haar moeder leed aan angstaanvallen die haar soms ontoerekeningsvatbaar maakten en die haar bovendien straatvrees bezorgden. Als ze in openbare gebouwen waren, moest haar moeder soms naar buiten gaan om te kalmeren – situaties die Joanna en haar zussen en broer soms in verlegenheid brachten. 'Op die leeftijd was ik heel ongeduldig. Geen van ons begreep wat het probleem van mijn moeder was,' vertelt ze. 'We wilden niet dat de gemeenschap in Phoenix wist dat er iets mis was. Ik zou willen dat ze nog leefde, zodat ik haar kon vertellen dat ik het nu begrijp.'

De actrice begrijpt het omdat ze zelf al bijna haar hele leven lijdt aan manische depressiviteit – een diagnose die overigens pas onlangs werd gesteld. 'Ik herinner me dat ik als klein kind depressief was. Ik leek een einzelgänger. Ik haatte het in groepen met kinderen te zijn, omdat het niet goed voelde,' vertelt ze openhartig. 'Het resultaat was dat mijn gevoel van eigenwaarde heel klein was. Ik probeerde altijd het perfecte kind te zijn. Ik wilde niet dat iemand wist dat ik me rot voelde en constant verslagen en wanhopig was.'

Joanna probeerde aan haar problemen te ontsnappen door een carrière na te streven in het enige dat een beetje vreugde in haar leven bracht: entertainment. Ze liet het stoffige Phoenix achter zich en schreef zich in bij de University of Southern California om regie en scriptschrijven te studeren. Destijds had ze geen belangstelling voor acteren, omdat ze zichzelf niet aantrekkelijk genoeg vond. Maar toen ze een studiefilm regisseerde, realiseerde ze zich dat haar fundamentele zwakte als regisseur was dat ze acteurs niet begreep. 'Ik regisseerde een meisje dat heel gefrustreerd raakte doordat ik haar niet kon uitleggen wat ik wilde. Ik zei: "Doe het gewoon." Ik wist niet hoe ik haar op haar gemak moest stellen. Toen realiseerde ik me dat ik beter wat over acteren kon gaan leren.'

Terwijl ze aan het schrijven van scripts voor speelfilms werkte, schreef Joanna zich in voor een cursus acteren. Ze rolde gemakkelijk in haar eerste paar rollen. Haar debuut maakte ze in THE NEW MIKE HAMMER SHOW. Ze had ook gastrollen in afleveringen van RIPTIDE en THE TWILIGHT ZONE. Toen zag ze in wat het inhoudt een echte acteur te zijn – en prompt werkte ze een jaar lang niet. Om in haar levensonderhoud te voorzien werkte ze als koerier, werd ze assistent-manager van een galerie en schreef ze de scripts voor medische opleidingsfilms voor het Hospital Satellite Network.

Haar moeder overleed plotseling in 1986. 'Ze viel op een dag dood neer na een hartaanval. Ze had een perfecte gezondheid. Het was gruwelijk, vreselijk, schokkend. Ik kreeg midden in de nacht het telefoontje dat ze dood was. Ik ben geen huilebalk, maar ik liet de tranen komen en krijste – het was het aangrijpendste dat ik ooit heb gevoeld. Niets heeft me daarna nog echt van slag kunnen brengen.'

Na haar moeders dood werden Joanna's depressies erger. Zij en haar vader spraken niet meer met elkaar. 'Mijn pa is echt fantastisch, grappig, charmant, heel knap,' vertelde ze een verslaggever ooit, 'maar hij en ik hebben elementaire meningsverschillen over het leven en de manier waarop ik verwacht behandeld te worden. We zijn het gewoon niet eens.'

Begin 1987, in een poging haar leven weer op de rails te krijgen, reageerde ze op een open oproep voor de nieuwe soap *B & B*. Ze was een van de duizend jonge vrouwen die door de deuren bij CBS binnenliepen om auditie te doen voor de rol van Caroline Spencer. Ondanks het negatieve beeld dat Joanna van zichzelf had, zagen de Bells in haar een combinatie van de schoonheid, stijl en klasse van Prinses Di en Grace Kelly. Ze kreeg de rol en vervolgens veroverde ze de harten van kijkers over de hele wereld.

Maar niemand wist tot jaren later wat zich werkelijk in haar hoofd afspeelde. 'Ik wilde het werk doen, maar ik wist dat ik veel last had van depressies. Op de set was ik altijd prikkelbaar. Ik dacht dat iedereen een hekel aan me had en dat ik waardeloos was. Ik kon nooit een scène doen zonder mezelf na afloop voor m'n hoofd te slaan. Wat mensen ook tegen me zeiden, ik dacht dat ik verschrikkelijk was. Ik denk dat mijn depressies doorschemerden in mijn spel, in Caroline dus. Het werkte gelukkig voor het personage – ze bedeelden haar met zoveel ellende dat ze sowieso nooit erg vrolijk kon zijn. Ik speelde haar narigheid, ging naar huis en voelde me afschuwelijk.'

Joanna's stemmingswissellingen ontgingen haar collega's niet. Ze nam uitnodigingen voor feestjes en gelegenheden aan, maar ze ging zelden. Velen dachten dat ze niet sociaal was. Ze wendde zich vaak tot mentrix Susan Flannery (Stephanie) voor hulp: 'Ze hield mijn hand vast en vertelde me dat het goed zou komen, dat ik niet zou instorten.' Ze zegt nu dat ze zelfmoord 'iedere vijf minuten' overwoog en dat ze piekerde over haar baan: 'Ik dacht dat de Bells geen vertrouwen in me hadden en dat ik de baan niet aankon.'

In 1990 wist Joanna dat ze zich ellendig voelde, maar niet waarom. Ze dacht dat haar baan haar behoefte om te schrijven en te regisseren niet bevredigde, dus stopte ze met de soap in de hoop een beetje geluk te vinden. De Bells lieten haar met moeite gaan, maar wensten haar het beste.

Het probleem constateren

Het verging Joanna evenwel steeds slechter na haar vertrek. Bijna een jaar deed ze niets. Haar agent maakte auditie-afspraken voor haar, maar ze zei steevast af of liet helemaal niets van zich horen. Ze praatte niet met haar vrienden over haar probleem. In feite waren de enigen die wisten dat ze problemen had, degenen met wie ze intiem was. 'Ik zat seksueel helemaal vast,' bekent ze. 'Ik dacht dat ik hen niet meer aantrekkelijk vond in plaats van me te realiseren dat het aan mij lag. Het was voor andere mensen een nachtmerrie. Ik had relaties alsof het tissues waren. Ik was verslaafd aan de kick van verliefd worden, omdat het endorfine stoffen vrijmaakt. Ik voelde me dan een of twee maanden niet depressief en daarna stortte ik steevast in. Ik weet zeker dat ik daardoor een vreselijke reputatie heb.'

Joanna zat jaren in therapie om van haar depressies af te komen, maar ze bleef haar werk of haar vriendje de schuld geven van haar problemen. Uiteindelijk stuurde een therapeut haar naar The Centre for Mood Disorders waar de diagnose werd gesteld dat ze manisch depressief was, een kwaal die wordt veroorzaakt door een biologische instabiliteit van de hersenen. Ze ontdekte dat medicijnen de oplossing voor haar problemen waren, al was het nog een hele toer om uit te vinden welke medicijnen voor haar het beste waren. Door Prozac viel ze te veel af en bovendien hielp het haar zin in vrijen om zeep. Van lithium voelde ze zich moe en stoned. Door Zoloft kreeg ze een geheugenprobleem. Er waren verschillende pogingen nodig voor de dokters haar aan het juiste medicijn voor haar afwijking konden helpen.

Nu heeft Joanna het gevoel dat ze haar depressie onder controle heeft en nu is ze ook weer in staat om contact te hebben met haar vader. En ze beleefde eind '91 een triomfantelijke terugkeer bij *B & B*. De Bells wilden de actrice al lang terug hebben in de serie en ze waren dan ook maar wat blij dat ze hun voormalige hoofdrolspeelster weer aan boord hadden. Ze verzonnen speciaal voor haar een vermiste tweelingzus en de rol van Karen Spencer was geboren. 'Het is heel gewaagd om iemand terug te willen in een rol, vooral als de fans er een emotionele band mee hebben,' zegt ze. 'Maar het is fantastisch om mensen te hebben die je zo steunen dat ze bereid zijn een nieuwe rol voor je te creëren.'

Tijdens haar eerste periode in de serie werd Caroline omringd door verdriet en tragiek. Maar deze keer zet Joanna een personage vol zelfvertrouwen en kracht neer – eigenschappen die Joanna zelf verwierf tijdens haar afwezigheid. 'Ik denk dat ik in die tijd heel erg volwassen ben geworden. Bovendien voel ik me rustiger over het acteren,' zegt ze. 'Ik maak me minder druk over wat mensen van me denken, ik loop niet meer handenwringend rond, vol onzekere gedachten. Ik ben rustiger geworden en ik maak me niet echt druk meer om wat ze denken. En dat is geweldig. Het is bevrijdend.'

Vaarwel Karen

Minder dan een jaar geleden liet Joanna haar ongenoegen blijken omdat haar personage nauwelijks werd gebruikt. 'Qua verhaallijn heb ik bij lange na niet de betrokkenheid die ik voorheen had.' Ondanks de goede bedoelingen van de schrijvers verwierf Karen Spencer nooit dezelfde populariteit als haar zus Caroline. De schrijvers van *B & B* probeerden haar verschillende kanten uit te schrijven om haar een eigen plekje te geven, maar het klikte nooit zoals voorheen. In een laatste poging om Karen van Caroline te onderscheiden, liet Joanna haar blonde haar afknippen en verfde ze het bruin. Maar nog steeds was ze niet in staat het personage nieuw leven in te blazen.

In mei 1994 verliet Joanna de soap opnieuw om andere terreinen te verkennen. Ze had nooit verwacht dat de serie om haar zou draaien zoals in de eerste drie jaar, maar ze had gehoopt dat haar personage weer wat met Ridge zou krijgen, want dat zou haar rol in het geheel flink wat groter hebben gemaakt. Maar Ridge was al gekoppeld aan Taylor en Brooke, dus het leek onwaarschijnlijk dat hij ooit een verbintenis met Karen zou aangaan. 'Ik gaf lang geleden het idee op dat ze ooit een Karen/Ridge-relatie zouden introduceren,' vertelde ze een verslaggever destijds, kort voor ze de soap zou verlaten. 'Veel fans waren echt teleurgesteld, omdat ze wilden dat het zou gebeuren. Ik zou weer graag met Ronn (Moss, Ridge) gewerkt hebben, maar het verhaal ging een andere kant op.'

Joanna's vertrek werd gebracht als een 'wederzijds besluit' en de mogelijkheid bestaat dat ze een derde keer terugkomt. In feite is de deur voor Karen wijd open gelaten: bij Karens afscheid van haar vrienden vertelt ze dat ze voor een paar weken naar huis gaat in Texas. Intussen streeft Joanna haar schrijfprojecten voor televisie en film na en ze zou ook geen bezwaar hebben tegen acteren op het witte doek. 'Ik zou het te gek vinden om een goede film te maken,' onthult ze. 'Ik zou graag voor Martin Scorsese of Penny Marshall of Garry Marshall willen werken. Zelfs in een kleine rol.'

Statistische gegevens
Geboren: 31 december 1961 in Phoenix, Arizona
Burgerlijke staat: ongehuwd, met een hond, Shelton
Opleiding: University of Southern Califonia
Hobby's: schrijven, regisseren, reizen, sport
Dagdrama's: THE BOLD AND THE BEAUTIFUL, Caroline Spencer 1987-1990; Karen Spencer 1991-1994

BIJROLLEN

Clayton Norcross
(Thorne Forrester)

Clayton Norcross werd geboren op 8 september op de Edwards Air Force Basis in Californië waar was zijn vader destijds gestationeerd was. Hij groeide op in de San Gabriel Vallei in de buurt van Los Angeles en ging naar de Arcadia High School. Hoewel gezegend met gebeeldhouwde, mooie gelaatstrekken en doordringende, blauwe ogen, had de 1.80 meter lange acteur nooit de bedoeling voor de camera's te belanden. Hij groeide op in een stad met dertien acteurs per dozijn en hij koos er dus voor om produktiewerk achter de schermen te gaan doen – in de hoop ooit regisseur te worden.

Hij begon zijn vervolgopleiding aan het Pasadena City College, voor hij overstapte naar de San Diego State University. Daar haalde hij een graad in film en t.v. Zijn eerste baan na zijn studie was bij ABC. Het negen-tot-vijf-baantje zou Clayton zeker niet rijk of beroemd maken, dus werkte hij in zijn vrije tijd aan originele filmscripts en ideeën voor televisieseries.

Wat hem uit zijn bureaubaantje haalde, was evenwel een modellenbureau dat zijn fraaie kaaklijn en jukbeenderen opmerkte. Een artikel in *GQ Magazine* betekende de start van een vijf jaar durende internationale carrière als model. Het werk voor de camera deed Clayton alleen maar naar meer verlangen en hij besloot zijn geluk te beproeven als acteur. 'Er rust een behoorlijk stigma op modellen en zo wil ik niet bekend zijn,' zei hij ooit tegen een verslaggever. 'Veel modellen zijn mooi, maar eerlijk gezegd kunnen ze niet tegelijkertijd lopen en hun naam zeggen. Ik ben blij dat ik niet zo door de wereld hoef en dat ik de kans heb gekregen om mijn talenten te laten zien.'

Hij maakte zijn speelfilm-debuut in de Griekse film *Skyhigh* en het zou niet lang duren voor hij een gastrol in *THE COLBYS* zou krijgen en in de t.v.-film *Intimate Encounters*. Toen er voor de rol van Thorne iemand werd gezocht auditeerde Clayton meteen en hij werd – mede dankzij zijn knappe uiterlijk – direct aangenomen. Maar toen zijn tweejarig contract afliep, werd de acteur ontslagen en vervangen door Jeff Trachta, die de producers als een sterkere acteur in de serie zagen.

Claytons ego overleefde het ontslag en toen *B & B* in Italië werd uitgezonden – en daarna in vele andere landen – werd Clayton overzee veel gevraagd voor gastoptredens en talkshows. 'Het is van de gekke geweest,' zegt hij over de reactie van fans. 'Het is iets wat Tom Cruise zou kunnen meemaken.' Zonder echte acteerklussen in Hollywood om handen is hij praktisch naar Europa verhuisd en heeft daar sindsdien constant gewerkt. Een van zijn eerste projecten was de Italiaanse televisiefilm *Tabloid Crime*, waarvoor hij gecast was als een Amerikaanse advocaat. Claytons rol werd in het Italiaans nagesynchroniseerd door dezelfde inspreekacteur die zijn stem deed voor *B & B*. Daarna ging hij naar Argentinië om de miniserie *WOMAN OF MYSTERY* op te nemen, waarin hij een priester speelde die een amateur-detective wordt. 'Ik ontplooi me met de populariteit van *B & B* als springplank,' geeft hij toe.

Nancy Burnett
(Beth Logan)

Beth Logan is de moeder van Brooke, Donna, Katie en Storm, maar in het gewone leven is Nancy Burnett niet getrouwd en heeft ze geen kinderen. Nancy werd op 27 augustus geboren in Los Angeles. Ze werd zich op de middelbare school in Pasadena bewust van haar liefde voor het acteren. Ze ging naar het Los Angeles City College waar ze theater als hoofdvak deed.

Na de universiteit trouwde Nancy en kreeg ze de felbegeerde rol van Stella in *A Streetcar Named Desire*. Ze speelde gastrollen in vele succesvolle t.v.-series in de jaren '70 en '80, zoals *FAME, MANNIX, PETROCELLI, BARETTA, THE ROCKFORD FILES, FALCON CREST* en *GROWING PAINS* en ze had een terugkerende rol als rechter Forstenzer in *L.A. LAW*.

Nancy is nu alleenstaand en woont in de San Fernando Vallei buiten Los Angeles. Naast koken geniet de actrice van aquarobics en tennis. *THE BOLD AND THE BEAUTIFUL* was Nancy's eerste soap-operaervaring. Toen het koppelen van Eric Forrester en Beth Logan op middelbare leeftijd niet direct vonken veroorzaakte bij de kijkers, werd Beth naar Parijs verscheept en werd Nancy van haar contract ontslagen. Omdat dochter Brooke Logan een sterke kracht in de serie blijft, keert Beth incidenteel terug voor moederlijke bezoeken.

Bryan Genesse
(Rocco Garner)

Met zijn punkkapsel werd Bryan Genesse de favoriet van jonge vrouwen als Rocco Garner – de jongen die vreselijk achterna gezeten werd door Katie, maar die eigenlijk hopeloos verliefd was op Katies zuster Donna.

Bryan werd geboren in Hamilton, Ontario, Canada op 20 maart Hij ontdekte het plezier van acteren toen hij op de middelbare school optrad in toneelstukken. Omdat hij wilde gaan acteren ging Bryan naar het George Brown College, maar hij verliet de opleiding voortijdig omdat hij aan de slag kon als acteur.

Zijn talloze gastrollen omvatten de Showtime-serie *BIZARRE*, de film *An Ounce of Cure*, de films *Dead Zone, Police Academy, Loose Screw, Johnny C.* en *Perry Mason: The Case of the Shooting Star*.

THE BOLD AND THE BEAUTIFUL was Bryans eerste kans op een doorlopende rol, maar wegens gebrek aan verhaallijn was de rol van Rocco slechts van korte duur. Het bracht hem evenwel onder de aandacht van casting directors uit Hollywood, die de zeer gewilde acteur tot de ster van zijn eigen serie, *STREET JUSTICE*, maakten. Bryan speelde Grady, de 28-jarige zoon van Canadese missionarissen die in Vietnam vermoord waren. De serie gaf de acteur als bestrijder van misdaad de kans om zijn zwarte band in Hung Gar Kung Fu en Tai Kwan Do te demonsteren.

Ethan Wayne
(Storm Logan)

Met de legendarische acteur John Wayne als vader, zou je denken dat het casten van Ethan slechts een stunt was om hoge kijkcijfers te scoren tijdens de begindagen van *THE BOLD AND THE BEAUTIFUL*. Uiteindelijk had de jonge acteur geen eerdere ervaring als hoofdrolspeler. Maar Ethan imponeerde producer Bill Bell op eigen kracht zonder te hoeven pochen met zijn beroemde vader. Bill was zo tevreden tijdens de auditie, dat hij Ethan liet kiezen uit de rollen Thorne Forrester of Storm Logan. Ethan koos voor de student Storm, wat een ongelukkige keuze was, aangezien het personage zich nooit verder ontwikkelde, terwijl de rol van Thorne nog steeds in de serie zit.

Ethan werd geboren op 22 februari en werd vernoemd naar een personage uit één van zijn vaders films, *The Searchers*. Hij is de op een na jongste van de zeven Wayne-kinderen. Zijn moeder, Pilar Pallette, is de dochter van een Peruviaanse senator. Op zijn achtste maakte hij zijn acteerdebuut in zijn vaders film *Big Jake* uit 1971. De oudere Wayne speelde een stoere cowboy op zoek naar zijn ontvoerde kleinzoon, Ethan.

De rol maakte Ethan populair op zijn lagere school in Orange County, Californië, maar hij wilde na de dood van zijn vader in 1979 geen carrière meer als acteur, ook al omdat zijn bijdragen aan films voornamelijk bestonden uit stuntwerk: autobotsingen, vechtscènes en motorraces. Hij deed stunts in de speelfilm *The Blues Brothers* en in de t.v.-serie *B.J. AND THE BEAR*. Zijn voorliefde voor stunts en zijn aangeboren acteertalent stelden hem in de gelegenheid in Europa te werken in westerns en oorlogsfilms, zoals *Escape From El Diablo, Manhunt, Operation: Nam* en een Kung Fu-film getiteld *The Master*.

Ethans achternaam blijft de aandacht trekken in welke serie hij ook speelt. Hij heeft in een grote talkshow eens een scène gemaakt toen hij ontdekte dat hij geacht werd over zijn vader te praten en niet over zijn werk in *B & B*. 'Ik ben sinds m'n zeventiende actief in deze business – met stuntwerk en kleinere rollen – en dat mij keer op keer op keer dezelfde vragen gesteld worden vond ik het moeilijkst te accepteren,' vertelde hij een verslaggever ooit. 'Dat zal doorgaan, denk ik, tot ik iets *echt* groots doe.' Nadat Ethan *B & B* verlaten had wegens gebrek aan verhaallijn, werd hij de ster van de nieuwe versie van de t.v.-serie *ADAM 12*. De producers van de soap vroegen de acteur nog wel om de rol van Storm weer te vertolken toen de verhaallijn die zijn personage romantisch zou koppelen aan Dr. Taylor Hayes werd gecreëerd. Hij wees het aanbod echter af en hij werd vervangen door Brian Patrick Clarke, die de rol slechts een jaar speelde en toen ook uit de serie werd geschreven.

BACKSTAGE-GEHEIMEN EN -CAPRIOLEN EN KNEEPJES VAN HET VAK

Waarom iedereen gek is op John McCook

Toen *B & B* begon, was John (Eric) een van de weinige oudere acteurs in een groep van onervaren nieuwkomers. Hij had natuurlijk naast zijn schoenen kunnen gaan lopen vanwege zijn positie, maar in plaats daarvan stelde hij zich op als 'een van de jongens'. John zal je, zoals zijn collega's zullen beamen, eerder aan het lachen maken met een goocheltruc dan dat hij je acteerspel bekritiseert. 'Hij komt aanzetten met de meest waanzinnige dingen,' beweert Kimberlin Brown (Sheila). 'Hij checkt altijd zijn glimlach in een briefopener of neemt het deksel van de koffiepot en gebruikt dat als een spiegel. Hij maakt werken leuk. Hij is gewoon onvoorspelbaar en altijd goed voor een lach tussendoor.'

'Toen hij nog rookte liep hij altijd rond met een sigaret in z'n neus,' zegt Joanna Johnson (Karen). 'En hij doet dingen met z'n jasje waardoor hij z'n hand niet meer uit z'n zak kan halen. Het is stupide, stompzinnig gedoe, maar iedere keer dat hij het doet is het nog steeds leuk.'

Elke dag is een hoog-haar dag

Met een dagelijks gemiddelde van acht vrouwen die gecoiffeerd moeten worden, hebben de *B & B*-haarstylisten hun handen vol. Schae Harrisons (Darla) huidige pittige, korte lokken nemen de minste tijd in beslag. Zoals verwacht heeft Darlene Conley met haar karikaturaal hoge 'Sally-kapsel' wat langer nodig vanwege het touperen en de hoeveelheid haarlak die gebruikt wordt om alles in model te houden. Hoeveel is veel? In de make-up- en kapruimte wordt altijd gegrapt dat het 'een bus haarlak per kapbeurt is'. Maar dat is slechts een grapje.

Blijf uit de buurt van Katherine Kelly Lang

'Toen ik in verwachting was, had ik veel last van gassen en boerde en rufte ik aan een stuk door,' bekent Katherine (Brooke). De actrice is tot op heden in de serie twee keer zwanger geweest, terwijl ze dat ook echt was. Omdat ze zich zo bewust was van haar spijsverteringsprobleem, veronderstelde ze dat anderen het ook wisten en ze voelde zich verschrikkelijk in verlegenheid gebracht midden onder een scène met John McCook. 'Ik boog voorover om iets op te rapen en terwijl ik weer overeind kwam, liet ik een wind en John praatte door. Ik probeerde niet in lachen uit te barsten, maar ik vermoedde dat hij het gehoord had en mij gewoon wilde ontzien,' herinnert ze zich. 'Ik dacht dat hij zo aardig was geweest te doen alsof hij het niet gehoord had. Aan het einde van de scène hield ik het niet meer. Ik was hysterisch.' Toen bleek echter dat John het echt niet gehoord had en dat hij Katherine dus helemaal niet in bescherming had genomen, maar op dat moment hadden alle anderen op de set natuurlijk wel in de gaten wat er gebeurd was en Katherine kreeg een hoofd als een boei. 'En toen begon John *echt* de draak met me te steken.'

Als het beestje maar een naam heeft

Hoofdschrijver Bradley Bell gebruikt vaak de namen van zijn vrienden en me-dewerkers voor personages in de serie. Zo zijn vele secretaresses die in de serie hun opwachting maakten, vernoemd naar personeel van achter de schermen; Ridge' naam werd ontleend aan die van een vriend van de familie Bell; Damon Warwick kreeg zijn voornaam van een soap-seriejournalist; en de kleine rol van ziekenhuisemployée, Linda Kalameja, is vernoemd naar een fan uit Goose Creek, South Carolina, die de ereprijs won tijdens een veiling van de fanclub.

Wraak is zoet

Omdat John McCook zijn collega's tijdens de opnamen vaak aan het lachen maakt door simpelweg een wenkbrauw op te trekken of door een woest voed-selgevecht te ontketenen, pakken zijn collega-acteurs hem dolgraag terug wan-neer de kans zich maar voordoet. Zo maakte Hunter Tylo (Taylor) wegens om-standigheden een keer gebruik van de badkamer in Johns kleedkamer. Op de vloer lagen jeans, schoenen en sokken. 'Ik kreeg ineens een wild idee, omdat ik wist dat John zoiets zou kunnen waarderen: ik heb z'n schoenen gevuld met tandpasta, z'n sokken met scheerschuim en z'n zakken met hele potten peper en zout,' herinnert ze zich. 'Hij had geen idee wie hem dat gelapt had en ik zweeg uiteraard in alle talen. Enkele dagen later stond hij me in de make-up-ruimte te vertellen dat iemand hem een poets had gebakken en ik bestierf het van de lach.' John realiseerde zich toen dat Hunter de dader was, maar in plaats van boos te zijn vond de acteur het een giller. Wel strafte hij haar in stijl: hij hield Hunter ondersteboven en gaf haar een pak voor haar broek.

De post moet door kunnen

Op het produktiekantoor van *B & B* bij CBS in Hollywood zorgt de overzeese fanmail bij iedereen op kantoor voor vertwijfelde blikken. 'Ze denken dat we, omdat we in Hollywood zitten, iedereen kennen,' zegt een personeelslid. 'Het kantoor stuurt de post door aan alle huidige en vroegere acteurs, maar we trekken de grens als men ons vraagt om acteurs uit andere series op te sporen. Echt hoor, we krijgen hier post voor acteurs uit *BEVERLY HILLS 90210* en zelfs voor Frank Sinatra!'

De spoken van Podium 31

B & B wordt er nu al bijna acht jaar opgenomen, maar daarvoor was Podium

31 van CBS Television City het podium waar sterren als Charlton Heston, Sonny en Cher en Danny Kaye triomfen vierden. Overigens, Charlton Heston keerde terug naar Podium 31 voor een rol in het zevende seizoen van *B & B*.

Wie filmt wie?
Terwijl de studiocamera's zich concentreren op de actie in een scène, probeert Ronn Moss met zijn handycam videocamera achter de schermen kletspraatjes en capriolen vast te leggen. Hij monteert de banden om ze tijdens de jaarlijkse fanclublunch te laten zien. Voor een van zijn hilarische produkties kroop de acteur met zijn camera over de grond om, zoals hij zelf zei: 'vanuit het perspectief van een hond de actie op de set te laten zien'. Dat de actrices in hun korte rokjes hem dat niet in dank afnamen, moge duidelijk zijn!

Geen gebakjes alsjeblieft
Katherine Kelly Lang en Bobbie Eakes (Macy) zijn op dezelfde dag jarig, 25 juli, maar dat betekent niet dat er een groot feest wordt gegeven op de set. Eigenlijk wordt er helemaal nooit iets aan verjaardagen gedaan, al zijn er natuurlijk altijd fans die cadeautjes naar de studio sturen. Maar gebakjes worden steevast geweigerd, want alle acteurs (m/v) moeten hun lijn in de gaten houden!

Beter dan de douche
Als je bij CBS voor de trap in plaats van de lift kiest, zou je weleens op een concert getrakteerd kunnen worden. De zangers in de serie – Ronn Moss, Bobbie Eakes (Macy), Jeff Trachta (Thorne) en John McCook – ontdekten namelijk allemaal dat het trappehuis een perfecte akoestiek heeft en oefenen er in alle rust op hun repertoire. Bobbie, Jeff en John hebben c.d.'s uitgebracht die in heel Europa succesvol zijn, dus de trappehuisrepetities waren zeker lonend.

Ziet jouw klerenkast er zo uit?
Speciale zorg wordt besteed aan het regelen en verzorgen van de garderobes van de acteurs. Elke outfit en kleerhanger is duidelijk van een acteursnaam voorzien. Niemand draagt ooit de kleding van een ander en men draagt zelden dezelfde outfit twee keer. Drie rekken met kleding, gerangschikt naar personage, vullen met gemak een grote ruimte waar ook schoenen en sieraden liggen opgeslagen. De outfits zijn zo samengesteld dat alles keurig bij elkaar hangt – compleet met bijpassende sokken, sieraden en zelfs ondergoed. Als iemand zich moet verkleden, kost dat dus niet meer dan enkele seconden.

Dat zijn nog eens fans!
Fans van over de hele wereld komen elke zomer in Los Angeles bij elkaar voor een *B & B* fan-weekend. En ruim honderd van de meest fanatieke fans werden bovendien nog eens uitgenodigd om te figureren in een aflevering van het ze-

vende seizoen waarin de grootste gala-modeshow van de serie zich voltrekt. De modeshow was geafficheerd als eerbetoon aan het American Film Institute en werd gepresenteerd door Charlton Heston. De wervelende show was het grootste evenement in de geschiedenis van de soap en trouwe fans uit New Jersey, Texas, Florida, Minnesota en Nevada kwamen naar de studio voor de opnamen. Die duurden tot in de kleine uurtjes en toen de figuranten moe maar voldaan het gebouw verlieten, verdwaalden sommigen van hen in het immense CBS Television City-complex. Naar verluidt waren er om drie uur 's nachts nog fans aan het zoeken naar een uitgang...

De circulerende wieg

Het is gewoonte dat de actrices van *B & B* hun kinderen meenemen naar het werk – en de CBS-wieg heeft dan ook vele diensten bewezen. Katherine Kelly Lang heeft de wieg twee keer in haar kleedkamer gebruikt. Lauren Koslow (Margo) en Hunter Tylo hebben er ook allebei een tijdje veel plezier van gehad. En recentelijk werd de circulerende wieg verhuisd naar de kamer van Kimberlin Brown.

Diamanten zijn de beste vriendin van elke vrouw

Wie draagt de meeste sieraden? Sally Spectra heeft de grootste collectie, zowel in omvang als in aantal. De duurste juwelen behoren traditiegetrouw aan de chique Stephanie Forrester, maar door de recente rijkdom van Brooke Logan wint de laatste op dat gebied snel terrein.

Wie krijgt de beste kleedkamer?

De kleedkamers van *B & B* liggen verspreid over CBS Television City – slechts een paar kleedkamers liggen vlak bij de set, waaronder het riante verblijf van John McCook. Zijn kamer wordt dan ook door iedereen gebruikt als centrale ontmoetings- en koffieruimte. Jeff Trachta (Thorne) had in zijn begindagen bij de serie een kleine kleedkamer die heel praktisch vlak bij de set lag, maar de doorgang was zo nauw dat je zijwaarts naar binnen moest. Jeff is naar een ruimer verblijf verderop in de gang verhuisd en zijn oude kamer wordt nu afwisselend gebruikt door Chris Robinson (Jack) en Keith Jones (Kevin).

Geen trouwdagtreurzang

Kostuumontwerpster Sandra Bojin-Sedlik vond het geweldig om de trouwjaponnen voor de serie te ontwerpen. Bobbie Eakes vond haar creatie zo mooi dat ze hem ook op haar echte trouwdag op 4 juli wilde dragen! Toch liet ze de japon namaken, want zoals alle t.v.-japonnen was die van Macy crèmekleurig en Bobbie wilde een echte witte.
Toen Eric een trouwjapon voor Sheila ontwierp, was het in feite een 'gewone' confectiejapon waarvan er maar liefst drie waren aangeschaft! Waarom? Omdat Sheila in de serie Lauren te lijf gaat waarbij ze de japon scheurt, maar er moes-

ten natuurlijk wel reservejaponnen zijn voor de overige opnamen van de scène. De jurk die Sheila uiteindelijk op weg naar het altaar draagt, was het finale-ontwerp uit de show en was wel weer ontworpen door Sandra Bojin-Sedlik.

Losse tongen

'Ik vind het leuk om iedereen in de make-upruimte te laten schrikken,' bekent Bobbie Eakes. Haar zuidelijke charme verhult dat ze eigenlijk een pestkop is! Op een dag joeg ze haar collega's de stuipen op het lijf: 'Ik had een stuk ham uit de kantine gepikt – het was de lunch van Schae Harrion – en ik rommelde er wat mee om het op een tong te laten lijken. Ik stak de ham in m'n mond en ging ermee naar beneden. Schae zei: 'Kan er iemand naar Bobbies tong kijken? Ze heeft erop gebeten.' Ik spuugde het stuk uit en iedereen begon te gillen.' Bobbie heeft ook geklaagd over 'corns' (betekent in het Engels zowel 'koren' als 'likdoorns') op haar tenen en toen ze haar schoenen uitdeed, waren er graankorreltjes op haar voeten te zien. Maar wie altijd grappen uithaalt, loopt de kans dat ze niet wordt geloofd als er werkelijk iets aan de hand is, dus toen de actrice schreeuwde dat ze per ongeluk haar wimpers had uitgetrokken met een wimperkrultang, kwam er geen enkele reactie. Helaas was het dit keer echter wel waar. De tranen stroomden letterlijk over haar wangen van de pijn en wekenlang moesten er dagelijks valse wimpers worden aangebracht.

JAAR DRIE

'Pak een pistool en schiet me neer... op die manier is Caroline vrij om met je te trouwen.'

Ondanks bedreigingen van de officier van justitie weigert Stephanie toe te geven. Ze houdt vol dat zíj Ridge per ongeluk neerschoot en dat Thorne er niks mee te maken had. Gefrustreerd laat de politie haar zonder aanklacht gaan. Eric en Stephanie zweren dat ze Thornes geheim zullen bewaren, in de wetenschap dat de waarheid Thornes huwelijk en de relatie tussen de twee broers zou kunnen verwoesten.

Stephanies voortdurende missie om Thorne en Caroline bij elkaar te houden, wordt eenvoudiger als Brooke en Ridge hun verloving aankondigen. Stephanie zou liever zien dat haar zoon niet met een van de Logan-meisjes trouwt, maar Brooke is zwanger. Stephanie herinnert zich dat Eric uit loyaliteit met haar huwde toen zij in verwachting was en ze vindt dat Ridge hetzelfde moet doen. Om die reden geeft Stephanie haar zegen aan de verbintenis.

Margo schenkt het leven aan Clarkes zoon, Mark, en Clarke wordt door schuldgevoelens achtervolgd. Uiteindelijk vertelt hij Kristen over zijn lening bij Sally. Kristen is woedend op zowel Margo als haar echtgenoot, maar tot Margo's verbijstering besluit Kristen haar man nog een kans te geven.

Clarke probeert de $ 100.000 terug te betalen aan Sally Spectra in een poging om onder zijn afspraak met haar uit te komen. Sally houdt echter voet bij stuk en staat erop dat hij de Forrester-ontwerpen levert. Om haar standpunt kracht bij te zetten, laat ze hem zelfs in elkaar slaan. Uiteindelijk komen Clarke en Sally tot een overeenkomst: hij zal zijn schuld terugbetalen door voor Spectra Fashions originele creaties te ontwerpen. Om zijn baan bij Forrester niet in gevaar te brengen, zullen de ontwerpen worden gepresenteerd onder de naam Beau Rivage.

Margo is niet gelukkig dat Clarke haar en haar zoon blijft ontwijken en ze smeedt een plan om zijn huwelijk kapot te maken. Ze spoort Mick Savage op, een aantrekkelijke, bekwame fotograaf, die ooit met Kristen uitging – en naaktfoto's van haar nam. Margo haalt Mick naar de stad en weer vliegen er vonken over tussen hem en Kristen.

Hoewel ze gevoelens blijft koesteren voor Mick en incidentele romantische flirts heeft, is Kristen vastberaden haar huwelijk met Clarke te laten slagen. Margo geeft het uiteindelijk op en trouwt de rijke Bill Spencer, die belooft een goede vader voor Mark te zijn. Caroline is niet blij met het huwelijk van haar vader: ze vermoedt dat Margo alleen met haar vader trouwt omdat Clarke niet beschikbaar is.

Mick is zich er terdege van bewust dat Kristen geen gemakkelijke verovering zal zijn en zoekt troost bij Macy Alexander, Sally's enige dochter. Sally is er niet blij mee dat haar dochter uitgaat met een man die bekend staat als een rokkenjager en een lastpost. Ze probeert tevergeefs Macy aan Ridge Forrester te koppelen. Als Clarke ontdekt dat Mick ooit Kristens minnaar was en dat zij haar relatie met hem geheim heeft gehouden, wordt hij woedend en verlaat hij haar. Kristen en Macy zijn nu allebei beschikbaar voor Mick en dringen erop aan dat hij tussen hen kiest. De fotograaf kiest voor Kristen, maar ook nu weer moeten zij hun relatie geheim houden voor de familie totdat Kristen officieel gescheiden is van Clarke.

Stephanie bezoekt haar gehandicapte dochter Angela en vraagt haar naar de Forresters te komen voor Ridge' verjaardag. Het meisje laat dan echter een heftige jammerklacht horen en dr. Todd Powel legt uit dat zijn patiënte er niet klaar voor is om in de openbaarheid te treden. Merkwaardig genoeg omhelzen de arts en de patiënte elkaar heftig nadat Stephanie is vertrokken.

Als Ridge zijn gehandicapte zus een prachtige jurk voor het feest geeft, overtuigt Todd zijn patiënte ervan dat ze niet onder deze familieverplichting uit kan. En als ze samen bij Angela's ouderlijk huis aankomen, wacht hun een verrassing: Stephanie wil dat haar zieke dochter bij hen intrekt.

Todd heeft bedenkingen en Angela maakt zich zorgen dat het haar niet zal lukken de schijn van ziek zijn te kunnen ophouden, maar ze waagt een poging. Als de tijd verstrijkt, wordt duidelijk dat Angela niet ziek is en ze wordt daarmee geconfronteerd door Eric en Stephanie. Ze wordt in het nauw gedreven en Angela kan niet anders doen dan de waarheid onthullen: de *echte* Angela Forrester is jaren geleden omgekomen bij een ongeluk, maar Todd voelde zich zo schuldig dat hij iemand inhuurde om haar plaats in te nemen. Tegen Stephanie vertelde hij dat Angela plastische chirurgie had ondergaan. De verraste Forresters zijn geschokt als 'Angela' zelfs nog de brutaliteit heeft om $ 150.000 te eisen in ruil voor haar zwijgen: ze heeft gesprekken over Thornes aanslag op Ridge opgevangen. Het echtpaar betaalt haar, maar wanneer Todd ontdekt dat de jonge vrouw van plan is hen verder af te persen, rijdt hij met opzet hun auto van een klif. Beiden worden verondersteld dood te zijn.

Caroline kan Ridge niet uit haar hoofd zetten en doet een wanhopige poging hem bij Brooke weg te houden. Twee weken voor het voorgenomen huwelijk tussen Brooke en Ridge dreigt ze Brooke dat ze Ridge de waarheid zal vertellen omtrent de brief die Brooke destijds achterhield om Ridge en Caroline uiteen te drijven. Uit angst dat Caroline haar zal verraden en ze Ridge' genegenheid zal verliezen, is Brooke genoodzaakt in te stemmen met Carolines eis en verlaat ze de woning van de Forresters.

Maar zelfs als Brooke doet wat Caroline van haar verlangt, kan Caroline de gedachte dat ze Ridge verliest aan haar ex-vriendin niet verkroppen en ze vertelt hem de waarheid. Ridge is ziedend, maar zijn woede slaat om in sympathie als hij zich naar Brookes zijde haast nadat zij een miskraam heeft gehad. Caroline heeft intussen een ontmoeting met een echtscheidingsadvocaat. Stephanie maakt gestage vorderingen met nieuwe trouwplannen voor Ridge en Brooke, maar haar zoon wijst een huwelijk vooralsnog af.

Eric en Stephanie realiseren zich dat ze Ridge moeten vertellen over het schietincident zodat hij Caroline met rust laat en Thorne niet weer overstuur raakt. Ridge en Caroline consulteren een psychiater over Thorne en ze besluiten dat hij niet toe is aan het horen van de waarheid, maar Caroline vertelt hem wel dat ze wil scheiden.

In een poging om aanzien te verwerven binnen de kledingindustrie, organiseert Sally een gezamenlijke Forrester/Spectra-liefdadigheidsshow aan boord van het historische schip Queen Mary. Ze staat te popelen om de nieuwe ontwerpen van 'Beau Rivage' te showen. Als het dan eindelijk zover is, is iedereen onder de indruk van de manier waarop Spectra zich omhoog heeft gewerkt. Dat wil zeggen, totdat het laatste ontwerp wordt getoond. Clarke heeft onwillekeurig een van Margo's ontwerpen overgenomen en beide firma's showen nu dus identieke ontwerpen op het plankier. In het Forrester-kamp staat niemand boven verdenking en Spectra Fashions wordt opnieuw gezien als een parasiet die teert op andermans creativiteit.

Vrijwel tegelijkertijd vindt er tijdens de show nog een ramp plaats: de doodgewaande 'Angela' keert terug. Ze draagt een sluier om haar verminkte gezicht te verbergen en bedient zich van de naam Deveney Dickinson. Ze wil de Forresters straffen en is van plan de waarheid rond Thorne en Ridge te onthullen – het wachten is alleen op een goede gelegenheid. Ze ontmoet Thorne tijdens de show en hij is geïntrigeerd door de vrouw, niet wetend dat zij een oplichtster is die zich voordeed als zijn zus.

Na een tijdje raken de twee bevriend en Thorne biedt aan om haar plastische chirurgie te betalen. Omdat ze niet geïdentificeerd wil worden aan de hand van haar oude uiterlijk, zegt ze dat ze geen oude foto's van zichzelf heeft. Thorne vraagt de dokter een computercompositie te maken van hoe Deveney er voor het ongeluk uitzag. Stephanie is de eerste die de compositie ziet en herkent de vrouw. Ze haast zich om Thorne te waarschuwen, maar het is te laat. In de wetenschap dat haar identiteit spoedig ontdekt zal worden, geeft Deveney de hoop op een romance met Thorne op en ze beraamt een plan om wraak te nemen. Ze drogeert Thorne en vertelt hem over de avond van Carolines feest; de nacht dat Ridge zijn bed inglipte en met zijn vrouw sliep. Ze geeft Thorne een pistool in zijn hand en hij gaat op zoek naar zijn broer.

Wanneer een hallucinerende Thorne zich voorbereidt om Ridge opnieuw neer te schieten, komt Stephanie binnen en probeert haar zoon te redden. Maar het is Ridge zelf die zijn broer tegenhoudt. Thorne kijkt vol afgrijzen naar het pistool en gooit het over het balkon. Deveney vlucht naar Zwitserland.

Thorne heeft het erg moeilijk met de waarheid en geeft zijn broer de schuld van het mislukken van zijn huwelijk. Intussen nodigt Ridge Caroline uit voor een etentje. Zij denkt dat hij haar trakteert omdat haar scheiding definitief is, maar Ridge bekent haar zijn onsterfelijke liefde voor haar en vraagt om haar hand. Ze zegt 'ja'.

Jeff Trachta
(Thorne Forrester)

Thorne Forrester heeft altijd in de schaduw van zijn oudere broer Ridge gestaan. Of het nu op het werk was of in zijn relaties met vrouwen, Thorne voelt zich constant de mindere van zijn grote broer. Hij voelde voldoening toen hij Carolines hand won, maar toen hij ontdekte dat Ridge en Caroline met elkaar naar bed waren geweest, schoot een dronken Thorne zijn broer neer.

Om Caroline te vergeten, heulde Thorne letterlijk met de vijand: hij huwde de dochter van Sally Spectra, Macy. Maar de immense druk van de familie verwoest hun verbintenis en Thorne gaat meer en meer voelen voor Carolines tweelingzus, Karen. Hij wordt gedwongen te kiezen tussen beide vrouwen – en kiest de verkeerde! Het lijkt erop dat hij en Macy voor altijd ongelukkige geliefden zullen zijn.

Jeff de zieleknijper

Jeff werd geboren op 6 oktober en groeide op Staten Island, New York op als een van drie kinderen. Iedereen in de familie Trachta dacht dat de 1.89 meter lange zoon arts zou worden. Hij studeerde psychologie aan de St. John's University in New York en na zijn afstuderen ging hij aan het werk met blinden en verstandelijk gehandicapten. Hij verhuisde vervolgens naar Los Angeles en werkte anderhalf jaar als activiteitenbegeleider, voordat zijn vrienden hem een nieuwe richting op stuurden.

Twee van Jeffs beste vrienden studeerden aan de American Academy of Dramatic Arts en Jeff deed met ze mee aan een zomercursus van zes weken. Die paar weken waren genoeg voor Jeff om besmet te raken met het acteervirus. Via de cursus kreeg hij de rol van Danny in *Grease*. Daarna vond hij snel werk aan het toneel waar hij rollen speelde in *Bleacher Bums, Equus, Cabaret* en als de getikte tandarts in *Little Shop of Horrors*.

De psychologie lag inmiddels ver achter hem en hij is nooit meer op zijn schreden teruggekeerd. 'Toen ik de overstap naar acteren maakte, had ik allerlei baantjes om te kunnen overleven. Het is nooit in me opgekomen om weer werk te zoeken als psycholoog,' zegt hij. 'Ik heb ovens schoongemaakt. Ik was ober. Ik heb elk denkbaar baantje gehad om maar aan geld en eten te komen.'

Jeffs eerste optreden in een soap was in *ONE LIFE TO LIVE*. Het was een klusje waarmee slechts één dag gemoeid was: hij speelde de zoon van een senator die veel blowde en een seksmaniak was. 'Ik hyperventileerde, omdat het mijn eerste keer voor de camera was. Ik ben altijd verbaasd als mensen op hun eerste dag fantastisch werk neerzetten, omdat ik denk dat het een tijdje duurt voor je je kunt ontspannen en je je op je gemak voelt,' zegt hij. 'Ik ben er dan ook van overtuigd dat, als ik de band nu terug zou zien, ik mijn prestatie van die dag afschuwelijk zou vinden.'

Klaarblijkelijk vonden de mensen bij het ABC-netwerk niet dat Jeff afschuwelijk was, want ze vroegen hem kort daarna voor hun soap *LOVING*. Net als in *ONE LIFE* speelde Jeff weer een verachtelijk personage: de drugsdealer Hunter Belding, die een moordvendetta voert. Net toen het erop leek dat het voor het personage niet slechter kon worden, werd hij vermoord – Jeff kreeg zijn ontslag. 'De producer belde me en zei: "Ik heb goed nieuws en slecht nieuws voor je,"' herinnert de acteur zich.

'"Het goede nieuws is dat Hunter zo mogelijk nog gemener wordt dan hij al is. Het slechte nieuws is dat we je zullen moeten doodschieten." Ik werd recht door m'n hart geschoten. Dat was wel een onaangename verrassing voor me.'

Abrupte ontslagen waren niet nieuw bij *LOVING*, maar voor Jeff kwam de slag hard aan. Hij was werkloos en door een staking van schrijvers was er in New York nauwelijks aan ander acteerwerk te komen. Na twee jaar zonder werk belandde de zwoegende acteur als kerstman bij het warenhuis Macy's. Toch wist hij zijn onvrijwillige 'vrijheid' goed te benutten: hij volgde, misschien tegen beter weten in, acteerlessen. 'Ik was een van die acteurs die dachten dat ze het allemaal zelf konden... ik dacht dat ik een natuurtalent was,' zegt hij. 'Maar als je een natuurlijk talent hebt, kun je door studie natuurlijk alleen maar beter worden en echt groeien.'

De lessen loonden: in 1989 kreeg hij de rol van Thorne in *B & B*, als opvolger van de acteur Clayton Norcross. Destijds was Thorne volop verwikkeld in de echtscheiding van Caroline. 'De rol overnemen midden in zo'n heftige verhaallijn was een ontzettende uitdaging, maar ik bleef volhouden dat ik het niet moeilijk vond omdat ik blij was dat ik een baan had en ik wilde alles doen om te voorkomen dat ik hem weer kwijtraakte.'

En dat Jeff het goed deed bleek al gauw, want verrassend genoeg accepteerden de fans de nieuwe Thorne meteen en zonder enig voorbehoud.

Tegenwoordig krijgt hij honderden brieven per dag en met enige hulp beantwoordt hij ze allemaal. 'Ik vind het enig om post van fans te krijgen. In het theater hoor je het publiek klappen of joelen of ze gooien tomaten naar je hoofd. Als je t.v.-werk doet, heb je de directe reactie niet en dat mis ik wel. Die brieven heffen dat gemis een beetje op. Het is echt verbazend hoeveel mensen de tijd nemen om ons hun steun te betuigen.' En natuurlijk krijgt de aantrekkelijke blonde acteur ook pikante voorstellen: 'Er zitten behoorlijk wat vreemde verzoeken tussen... voorstellen die ik hier niet durf te herhalen,' vertelt hij. 'Heel suggestieve brieven en ook heel onstuimige...'

Hij krijgt veel post uit Europa, vooral uit Italië, waar de soap bekend is onder de naam *BEAUTIFUL*. Jeff is er diverse keren geweest en is steeds opnieuw verbijsterd over de hysterie die losbreekt wanneer men hem en zijn collega's in het oog krijgt. 'Ik dacht dat het alleen bij Ronn Moss (Ridge) zo ging, dat mij dat niet zou overkomen, maar als ik er ben, word ik iedere keer weer overweldigd door de populariteit van de serie. Het is heel raar om op straat te lopen terwijl mensen *BEAUTIFUL* naar je schreeuwen en naar je wijzen. Dat is geweldig voor je ego, zeker weten! Neem nou mijn eerste keer daar. Bobbie en ik komen aanrijden in zo'n klein sportwagentje, we parkeren, stappen uit en opeens gilt iemand "Thorne!",' herinnert hij zich. 'Binnen enkele seconden stonden er honderden mensen aan me te trekken. We worstelden ons een weg terug naar de auto en ze lagen allemaal over de motorkap heen. Het was echt maf. Dat is in de Verenigde Staten wel anders: veel rustiger. Hier komen mensen naar je toe om je te vragen wat er volgende week gaat gebeuren. Maar daar is het pure passie en het liefst zouden ze een stukje van je mee naar huis nemen.' Niet dat hij zich beklaagt, hoor.

Jeff de doe-het-zelver
Privé lijkt Jeff in de verste verte niet op een Forrester. Hij leidt een rustig bestaan in een klein huis in Burbank, Californië, met zijn twee cocker-spaniëls, Lucy en Ricky, en een kat genaamd Kitty. 'Zij hoorde bij het huis,' grapt hij.
Het huis, vertelt Jeff, was een 'krot' toen hij er introk en het kostte hem jaren om de boel te renoveren. Hij legde eerst een zwembad aan in de achtertuin en sloeg vervolgens een muur weg, zodat hij het zwembad door de openslaande deuren kon zien. Het hele renovatieproject had overigens nogal wat voeten in de aarde, want Jeff was nou niet wat je noemt 'een handige jongen'. 'Ik had nog nooit iets verbouwd,' bekent hij. 'Maar ik dacht: speel de rol van bouwvakker en doe het gewoon. En dat deed ik.' Hij schafte een stapel boeken aan, met titels als 'Handig Thuis' en 'Hoe-Doe-Ik-Het-Zelf' en, heel slim, hij liet offertes maken door aannemers en luisterde dan heel goed naar wat zo'n man allemaal aan werkzaamheden opsomde. 'Nadat ik ongeveer zes verschillende mensen had laten komen en me had laten voorlichten, ging ik lekker zelf aan de slag en dat heeft me heel veel geld bespaard. Bovendien vond ik het heerlijk om te doen.'

Jeff de zanger
Vanaf het moment dat hij bij de soap begon, wilde Jeff 'iets' doen met muziek, liefst zang. Maar zangers komen nauwelijks voor in soaps en *B & B* had zich er ook nog nooit aan gewaagd. Toen Jeff eenmaal stevig in het zadel zat bij *B & B*, raapte hij al zijn moed bijelkaar en stapte hij naar zijn baas. 'Ik zei tegen Bill Bell dat ik graag wilde zingen in de serie. Hij vertelde me dat Thorne net midden in een crisis zat en dat hij de komende drie maanden niks had om over te zingen. Dus bracht ik het drie maanden later weer ter sprake.'
Dit keer was Bell wel ontvankelijk voor het idee. Het personage had de scheiding van Caroline overleefd en zat midden in een nieuwe romance met Macy. Bell liet de twee geliefden een duet zingen bij een liefdadigheidsgebeuren in de serie en daarmee was het hek van de dam: nu zingen Thorne en Macy regelmatig duetten in de serie – verrassende onderbrekingen in de talrijke dialogen die

de serie kent. 'Ik heb er absoluut geen moeite mee om zomaar ineens een lied in te zetten,' zegt hij. 'Het doet mij altijd denken aan de oude MGM-musicals. Bovendien kun je met een lied zoveel meer zeggen dan met een dialoog. Ik weet dat mensen het oubollig vinden, maar ik vind het fantastisch. Ik neem m'n petje af voor de producers dat ze het durven doen.'

Bell en zijn staf namen inderdaad een goede beslissing; Jeff en Bobbie Eakes (Macy) zijn als duo even populair voor de camera als erachter. Ze treden inmiddels op in nachtclubs in Los Angeles, Toronto en Las Vegas. En ook hun concerten in Europa zijn steevast uitverkocht, terwijl de cd met hun duetten uit de serie in Nederland, Denemarken, Zweden en België vrijwel meteen platina werd. 'Het is onwerkelijk,' zegt hij verbaasd, 'iedereen koopt onze c.d., we zijn op de radio, we zijn zelfs op MTV.'

Wie de concerten van Jeff en Bobbie bezoekt, komt tot de ontdekking dat Jeff ook een komiek is die uitstekend kan imiteren en die met zijn komische one man-show veel succes oogst bij het publiek. Ook de producers van Castle Rock Entertainment merkten zijn komisch talent op en boden hem een contract om zijn eigen comedy-serie te ontwikkelen. Dit blijk van vertrouwen kwam op een goed moment, want in 1993 werd Jeffs vaste contract bij de *B & B* beëindigd bij gebrek aan verhaal voor de figuur van Thorne. Bell koppelde Macy aan andere minnaars en de rol van Thorne bleef daardoor beperkt tot een enkel optreden. Een jaar later, na een stortvloed van negatieve reacties van fans over zijn 'afvloeiing', bedacht Bell dat Thorne en Macy wel weer bij elkaar konden komen en werd Jeff opnieuw een contract aangeboden. Maar Jeff bedankte inmiddels vriendelijk voor de eer, want door zijn succesvolle zangcarrière en een mogelijke eigen t.v.-serie had hij geen tijd meer om regelmatig op de set van *B & B* te verschijnen. Hij duikt nu nog wel eens op in de serie, maar alleen als hij beschikbaar is.

Statistische gegevens
Geboren: 6 oktober op Staten Island, New York
Burgerlijke staat: alleenstaand
Opleiding: St. John's University; American Academy of Dramatic Arts
Hobby's: tennis, (water)skiën
Dagdrama's: ONE LIFE TO LIVE, Boyce McDonald; LOVING, Hunter Belden; THE BOLD AND THE BEAUTIFUL, Thorne Forrester, 1989-?

Darlene Conley
(Sally Spectra)

De flamboyante, nadrukkelijk aanwezige, soms gemene Sally Spectra zou eigenlijk geen vast personage in *THE BOLD AND THE BEAUTIFUL* worden. Ze begon als een liefje uit het verleden van de geen scrupules kennende Clarke Garrison voor een kortlopende verhaallijn. Maar actrice Darlene Conley gaf de rol zo'n verrukkelijke verdorven draai dat de Spectra-gang er nog steeds is om de familie Forrester op scherp te houden.

Haar prille begin
Darlene zegt zelf dat ze een 'korte jeugd' heeft gehad. Geboren uit Iers/Duitse ouders, groeiden Darlene en haar twee zussen, Carol en Sharon, op ten zuiden van Chicago, in een deprimerende arbeiderswijk. Ze zegt dat daar opgroeien 'je taai maakt. Het maakt je anders.' Toen haar vader een baan kreeg bij de Illinois Central Railroad, verhuisde het gezin naar een buitenwijk. Op de katholieke school die ze daar bezocht, deden de nonnen er alles aan om de jonge roodharige van haar Ierse en Zuid-Chicago-accent af te helpen, maar tevergeefs – Darlene was en bleef anders dan alle andere meisjes. 'Ik was in de ogen van mijn klasgenoten een vreemde snoeshaan, een freak en dat heeft me waarschijnlijk het theater in gedreven, dus ik dank die kinderen! Al denk ik ook dat ik er sowieso voor in de wieg was gelegd.'
Op haar vijftiende had ze haar zinnen op acteren gezet en las ze alles over het onderwerp dat ze maar te pakken kon krijgen. Een roddelonderwerp in *The Chicago Tribune* leidde naar haar eerste baan: toen ze las dat de actrice die de meid speelde in het rondreizende gezelschap van *The Heiress* in verwachting was, ging Darlene naar de artiesteningang en zei: 'Ik begrijp dat jullie een nieuwe meid nodig zullen hebben.' Broadway-impresario Jed Harris nam haar aan: ze had haar eerste rol te pakken in een stuk waarin Basil Rathbone de hoofdrol speelde.
Darlene maakte de middelbare school af en studeerde nog twee jaar, terwijl ze intussen regelmatig op het toneel stond. Haar theateropleiding deed ze feitelijk

in de praktijk, want ze speelde in produktie na produktie: ze trad onder meer op in *The Night of the Iguana* met Richard Chamberlain (De Doornvogels) en in David Merricks musical *The Baker's Wife*. In Los Angeles stond ze in *Cyrano de Bergerac, The Time of the Cuckoo* met Jean Stapleton (Edith Bunker) en *Ring Round the Moon* met Michael York.

Tijdens haar theatertijd ontmoette Darlene haar eerste man, acteur William Woodson. Samen hebben ze één zoon, Raymond, en twee stiefzonen, Theodore en William. Na hun scheiding werd Darlene verliefd en trouwde ze opnieuw, maar ook dat huwelijk liep snel fout. Ze beschouwt gestrande huwelijken als normaal voor een acteur, zichzelf vergelijkend met een zigeuner. 'Ik ben er lang geleden mee opgehouden me te verontschuldigen voor gestrande huwelijken, want in dit vak wordt er op een echtpaar zoveel druk uitgeoefend. Van elkaar gescheiden zijn doordat je allebei in een andere plaats speelt, geldzorgen, geen geregeld inkomen, een onzekere toekomst. Vroeger dachten acteurs er niet over te trouwen en gezinnen te stichten.'

Ze zien vliegen

Darlene heeft in haar carrière veel ups en downs gekend. Terwijl ze droomde van een carrière op de planken, hoopte ze ook filmster te worden. Op haar twintigste kwam die droom bijna uit toen Universal Pictures haar een contract aanbood: ze kreeg een rolletje in Hitchcocks *The Birds* uit 1963. De vermaarde regisseur vroeg Darlene voor de rol van serveerster – haar eerste echte filmrol – en legde haar uit dat ze naar het raam moest rennen en 'Stop, meneer, niet doen!' moest roepen als ze een man zag die een sigaret wilde opsteken terwijl hij omringd was door lekkend gas. Ze nam zich voor om de scène zo goed mogelijk te spelen en zo angstig mogelijk te reageren. Moeilijk bleek dat uiteindelijk niet te zijn, want Hitchcock nam het zekere voor het onzekere en stak pal achter de actrice een gasvuur aan. Darlene schrok zich wild en toen de scène erop zat, vertelde de regisseur haar: 'Ik vertrouw er nooit op dat acteurs kunnen acteren.'

Er volgden meer films en Darlene denkt met liefde terug aan haar werk met regisseur John Cassavettes. Ze speelde in zijn films *Faces* en *Minnie & Moscowitz*. Verder is de actrice te zien in onder meer *The Valley of the Dolls, Play It As It Lays* en *Lady Sings the Blues*. Toch lagen de rollen niet voor het opscheppen voor Darlene en al gauw wendde ze zich dan ook tot een andere tak van de amusements-industrie: de televisie. Ze speelde talloze gastrollen in series als *GUNSMOKE, MURDER SHE WROTE, THE COSBY SHOW, CAGNEY AND LACEY, LITTLE HOUSE ON THE PRAIRIE, THE MARY TYLER MOORE SHOW* en *HIGHWAY TO HEAVEN*.

Overdag een plekje vinden

Darlene kreeg haar kans bij soap-opera's midden jaren '80 toen Bill Bell haar castte als de verdorven babymakelaar Rose DeVille in *THE YOUNG & THE*

RESTLESS. Toen de sterke arm dreigde de adoptiebende op te rollen, ver- dween Rose en was Darlene uit de serie geschreven. Maar dit geïnspireerde op- treden, hoe kort ook, maakte Darlene tot een veel gevraagde actrice in L.A.- dagkringen en ze raakte zeer enthousiast over de mogelijkheden die dag-t.v. bood. 'Het is tegenwoordig echt het beste medium voor vrouwen van een zeke- re leeftijd om iets heel opvallends te doen...,' zegt ze. Ze had vervolgens korte rollen in *DAYS OF OUR LIVES, CAPITOL* en *GENERAL HOSPITAL*.

Maar het is de rol van Sally Spectra in *B & B* geweest die de actrice de algeme- ne bekendheid en het succes heeft gebracht waar ze sinds haar vijftiende van droomde. Sally was eigenlijk voorbestemd om een kortstondig contrast te zijn voor ontwerper Clarke Garrison, maar Darlenes vertolking en de dolenthousias- te reacties van het publiek haalden Bell er snel toe over de rol uit te bouwen. Na het eerste jaar van de soap was de verhaallijn van de Logans tanende en Bell realiseerde zich dat hij weer jaren voortkon als hij van de Spectra's zijn tweede familie zou maken.

Op haar tweede dag voelde Darlene al dat ze zou blijven. 'Ze hadden dat fantas- tische, heerlijke Spectra-kantoor gebouwd. Ik liep naar binnen en daar zat die gestoorde Darla. Darla (actrice Schae Harrison) stond op, maar doordat ze in de camera keek, gooide ze een typemachine op de grond en al haar spullen vlo- gen in het rond. Ik zei: "Ik moet dat wijf ontslaan." De hele set barstte in la- chen uit. Het was de dag voor de kerstvakantie en Susan Flannery (Stephanie) hield een eierpunch-feest en gedurende het hele feest was Darlenes reactie hèt onderwerp van gesprek. Zo is Spectra geboren en dat wist ik die dag. Ik zei: "Dit gaat werken. Het publiek zal hiervan smullen." Ik houd van Sally's creati- viteit. Haar bereidheid iets te riskeren. Haar duik in het diepe waar andere mensen bang zijn om te duiken. Haar ontembare kracht. Dat vind ik te gek aan haar. Je kunt haar een optater geven, je kunt haar pijn doen, maar ze komt te- rug. Ze heeft altijd haar vuisten gebald.'

Haar nieuwe romantische perspectief

Sally Spectra is niets zonder de mannen in haar leven en ze verlangt naar het perfecte huwelijk. In de begindagen smolt ze voor Clarke Garrison. Vervolgens kreeg ze iemand van haar eigen leeftijd, Jack Hamilton. Nadat de romance met Jack ten einde was, stortte Sally zich weer op jonge mannen, dit keer de knap- pe Anthony Armando. Terwijl Darlene een nieuw huwelijk heeft afgezworen, lijkt ze in zoverre op Sally dat ze oog heeft voor aantrekkelijke mannen. 'Ik ben ongeveer net zo,' zei ze ondeugend. 'We hebben dezelfde smaak wat man- nen betreft, ben ik bang.'

Terwijl Sally wanhopig probeert een man te krijgen – en er waren flirts met het echte internationale model Fabio – staat Darlene voor het dilemma van te veel mannen en te weinig tijd. In recente jaren is de actrice gezien in het gezel- schap van de zeer jonge en *erg* knappe Shakespeare-acteur Paolo Gasparini. Paolo kwam Darlene te hulp toen ze voor een dag in Italië vastzat tijdens een

B & B-promotietour. 'Ze stuurden deze jongen op me af met zijn charme, zijn verhalen en zijn zeer, zeer Shakespeariaanse manier van acteren en hij hield me negen uur lang rustig en gelukkig,' onthult ze. 'Ik vind dat die jongen een lintje verdient.' Naast Paolo heeft Darlene een oogje laten vallen op verschillende andere Italianen en ze reizen allemaal heen en weer om elkaar te zien. 'Het is zo verrukkelijk dat ze me komen opzoeken. We hebben zo'n hechte, flitsende vriendschap; we kunnen het prima met elkaar vinden.'

Maar haar interesse voor mannen is niet beperkt tot Italianen. In feite heeft ze verschillende vriendjes in Los Angeles. Ze is vaak naar New Orleans en andere bestemmingen gereisd met *B & B*-producer en naaste vriend John Zak. En dan is er haar *goede* vriendje Paul Rodriguez, ontwerper van prijswinnende praalwagens. 'Hij is een knul die ik vreselijk graag mag; een zeer aantrekkelijke en erg interessante man,' zegt ze.

'En dan zijn er nog een paar die me proberen te versieren. En ik hen,' meldt ze olijk. 'Ik kijk altijd of ik niet iets gemist heb, die ene die de dans is ontsprongen. Geloof me, er *is* leven na je veertigste.'

Statistische gegevens
Geboren: 18 juli in Chicago Heights, Illinois
Burgerlijke staat: gescheiden, met drie zonen, Raymond, Theodore en William
Opleiding: DePaul en Loyola University
Hobby's: Theater, reizen, lezen, dansen, piano
Onderscheidingen: 1991 Emmy-nominatie voor Beste Vrouwelijke Bijrol Overdag; 1992 'Umbria Fiction Award' in Italië
Dagdrama's: THE YOUNG AND THE RESTLESS, Rose DeVille; DAYS OF OUR LIVES, Edith Baker; CAPITOL, Louie; GENERAL HOSPITAL, Trixie Monahan; THE BOLD AND THE BEAUTIFUL, Sally Spectra 1988-?

BIJROLLEN

Schae Harrison
(Darla)

Darla is de naïeve, blonde, niet al te slimme, bruisende tegenpool van Sally Spectra. Schae Harrison is ook blond, maar ze zegt dat daar de overeenkomst ophoudt.

'Ik mag graag denken dat ik niet zo goedkoop en naïef ben als Darla,' zegt ze. 'We praten anders en ook haar manier van doen is totaal anders.' Ze werd geboren op 27 april in Orange County, Californië, als Schaeffer Harrison. Schae begon op haar vierde met danslessen en eenmaal op high-school werd ze cheerleader. Maar dat was nog maar het begin voor de enthousiaste tiener. Ze volgde haar toenmalige vriendje naar Seattle, waar ze een baan kreeg bij de cheerleaders van het plaatselijke football-team, de Seattle Seahawks.

Schae ging na drie jaar terug naar Los Angeles en besloot zich te richten op een acteercarrière. Ze figureerde in verschillende afleveringen van *GENERAL HOSPITAL* en werd opgemerkt door een casting-director van *THE BOLD AND THE BEAUTIFUL*. Ze kreeg diverse kleine eenmalige rolletjes in de serie aangeboden, waaronder twee rollen als hoer, tot het personage Darla werd gecreëerd. Schae heeft de perfecte komische timing voor haar overdreven personage, maar geeft toe soms te verlangen naar steviger rollen zoals die van Brooke en Macy.

De actrice is in 1994 getrouwd met Warner Brothers filmdirecteur Michael Kase, met wie ze al jaren samenwoonde. De twee ontmoetten elkaar toen Schae een avond op stap was met collega Colleen Dion (Felicia). Michael verraste Schae in december 1992 door met haar collega's samen te spannen en een verrassingsaanzoek te doen. Tijdens de opnamen van een scène nam hij de plaats van een acteur in en hield hij een tekstkaart omhoog met de tekst: 'Wil je met me trouwen?' Hij schoof een diamanten ring aan haar vinger en Schae barstte in tranen uit terwijl de ploeg toekeek.

Toen ze zichzelf weer onder controle had, schreeuwde Schae: 'Ja, ik wil!' en sprong ze in zijn armen.

Michael Fox

(Saul Feinberg)

Michael Fox is een toneel- en filmacteur/schrijver/producer wiens carrière bijna vijftig jaar omspant. In de loop der jaren heeft Michael met enkele van Hollywoods legendarische acteurs gewerkt, onder wie Mae West, Paul Muni, Joan Crawford, Bette Davis, Dorothy Gish, Zsa Zsa Gabor en Raymond Burr. En nu staat hij dan tegenover Darlene Conley, die de flamboyante Sally Spectra speelt. Michaels personage, Saul, is een coupeur bij Spectra Fashions die al jaren een oogje heeft op zijn bazin. Een hopeloze liefde, want hij is dan wel Sally's vertrouwenspersoon, maar in romantisch opzicht is ze absoluut blind en doof voor hem.

Michael, die op 27 februari 1921 in Yonkers, New York werd geboren, zegt in meer dan honderd films, driehonderd t.v.-series en talloze toneelstukken te hebben gespeeld. Hij ging naar Indiana University en zijn acteercarrière ging eind jaren '40 van start toen hij op Broadway schitterde in *The Story of Mary Suratt*. In de jaren '50 werkte hij als contractspeler bij zowel Columbia Pictures als Warner Brothers. In 1960 schitterde Michael in een van de eerste soap-opera's op televisie, *THE CLEAR HORIZON*, een serie over astronauten die twee jaar op het scherm te zien was. In de jaren '70 produceerde Michael een reeks documentaires over vrouwenrechten, overbevolking in gevangenissen en maatschappelijk werk. De jaren '80 brachten hem terug voor de camera: hij verscheen in series als *THE HOGAN FAMILY, MacGYVER, QUINCY, ST. ELSEWHERE, SIMON AND SIMON, KNIGHT RIDER, DALLAS* en *FALCON CREST*.

Michael en zijn vrouw Hanna wonen in Van Nuys, Californië en zijn al meer dan veertig jaar getrouwd. Het paar heeft twee kinderen, David en Jennifer.

Judith Borne

(Deveney/Angela Forrester)

De rol van Angela was een van de meest gecompliceerde rollen in *THE BOLD AND THE BEAUTIFUL*. Toen ze voor het eerst verscheen, was Angela de gehandicapte dochter van Eric en Stephanie, die al meer dan twintig jaar verstopt werd gehouden in een luxueus huis, waar zij permanent werd verzorgd door een privé-arts. Eigenlijk was ze echter een stand-in die was ingehuurd door de arts, omdat de echte Forrester-dochter onder zijn zorg was gestorven. Toen 'Angela' zich tot de Forresters wendde en hen afperste, reed de arts expres van een klif, waardoor hij de dood vond en Angela ernstig gewond raakte. Ze keerde terug onder de naam Deveney en droeg een sluier om haar door het ongeluk mismaakte gezicht te verbergen.

Actrice Judith Borne was verrukt dat ze zo'n multi-dimensionaal personage kon spelen. Oorspronkelijk nam ze de rol als kortlopend aan. Maar met zulke ongelooflijke mogelijkheden voor het verhaal in de maak, was ze dolenthousiast dat het personage een jaar later weer terug zou komen, aangezien ze nieuwsgierig was naar Deveney's tegenstrijdige emoties. 'Ze is deels een wraakzuchtige Griekse furie en deels een eenzame jonge vrouw die ernaar verlangt geaccepteerd te worden in de wereld van de Forresters,' zegt ze.

Judith is geboren en getogen in Detroit, Michigan en bezocht de University of Northern Michigan, waar ze als hoofdvakken psychologie en strafrecht deed. Vervolgens ging ze drama studeren aan de Florida Atlantic University. Tijdens haar studie werkte ze bij het Ringling Brothers Barnum & Bailey Circus en maakte ze als danseres en olifantenberijdster een tournee langs vijftig steden. Daarna studeerde ze aan de London Academy of Music and Dramatic Arts en bij de vermaarde acteerpedagoge Stella Adler.

Judith heeft gastrollen gespeeld in *KATE & ALLIE, THE EQUALIZER, ALL MY CHILDREN* en *GENERAL HOSPITAL*. Ze heeft ook opgetreden in de speelfilms *Staying Alive, Hometown, Compromising Positions, Turk 182* en *The Muppets Take Manhattan*. Ze is getrouwd met toneeldocent Julian Neil.

Teri Ann Linn
(Kristen Forrester)

Teri Ann Linn studeerde aan de Pepperdine University in Califorinië en de University of San Diego, waarna haar toekomst door een bezoek aan haar ouderlijk huis op Hawaï ineens totaal veranderde. Vrienden moedigden haar toen namelijk aan om mee te doen aan de Miss USA-schoonheidswedstrijd en Teri Ann werd gekroond tot Miss Hawaï USA. 'Eerst dacht ik dat schoonheidswedstrijden niets voor mij waren,' vertelt ze. 'Het druiste helemaal tegen mijn ideeën in – hoe kunnen mensen zich zo laten beoordelen – maar ik liet me overhalen en deed het toch en ik kwam al gauw tot de ontdekking dat er meer bij kwam kijken dan een leuk uiterlijk alleen. Kortom, ik moest mijn vooroordelen overboord zetten. Dankzij de verkiezing reisde ik over de hele wereld en leerde ik veel. Het was dus echt een spannende tijd.'

1. Stephanie (Susan Flannery) – de 'mater familias' die er alles, maar dan ook alles voor over heeft om haar gezin bijeen te houden.

Op de volgende pagina's
links:

2. Ron Moss speelt Ridge, de hartenbreker. Of hij ooit met Brooke zal trouwen – dat weten zelfs de schrijvers van B & B nog niet.

rechts:

3. Katherine Kelly Lang is als Brooke onmisbaar voor de serie. Haar hopeloze liefde voor Ridge blijft één van de belangrijkste thema's van het verhaal.

4. De familie Forrester bijna compleet: v.l.n.r. Felicia, Ridge, Stephanie, Eric en Thorne.

5. John McCook, hier met zoon Jake, is – net als Eric Forrester –
een echte huisvader.

Op de volgende pagina:
6. Darlene Conley (Sally Spectra).

7. Bobbie Eakes (Macy Alexander-Forrester).

8. Schae Harrison heeft voor haar rol van Darla nogal wat make-up nodig.

Teri Anns tour als Miss Hawaï USA en daaropvolgend werk als model voerden haar naar Londen, Duitsland, Rome, Milaan en Ierland. Bij terugkomst in Amerika werd ze gecast als Disney-danseres om aan de zijde van Mickey en Minnie de c.d. *Mousercise* te promoten – werk waarvoor ze optrad in *THE TONIGHT SHOW* en een gesprek had op t.v. met Johnny Carson en Ed McMahon.

Teri Anns voortreffelijke figuur bleef niet onopgemerkt in televisieland en ze kreeg dan ook al gauw gastrollen in *HILL STREET BLUES, THE NEW MIKE HAMMER SHOW, THE FALL GUY, RIPTIDE, FLAMINGO ROAD* en *T.J. HOOKER*. Maar haar rol als Kristen in *B & B* gaf haar pas echt de gelegenheid om te acteren, want in de rol van Kristen werd er meer van haar verwacht dan mooi zijn alleen. Hoewel ze niet langer onder contract staat bij de Bells blijft zebij tijd en wijle verschijnen, terwijl ze ook acteerklussen in Europa doet. Teri Ann is in oktober 1989 getrouwd met modefotograaf Richard Hume.

Lauren Koslow
(Margo Lynley)

Margo is een vrouw die altijd wat krijgt met mannen die niet in haar geïnteresseerd zijn. In het echt heeft Lauren Koslow meer geluk in de liefde: ze is gehuwd met visagist Nick Schillace. Het gelukkig getrouwde paar heeft twee kinderen, Zachary en Milli Kate.

Lauren werd geboren in Massachusetts en studeerde sculptuur en natuurbeheer voor ze overstapte naar de Virginia State University, waar ze kostuums ontwerpen als hoofdvak koos.

Na haar afstuderen werd ze de vaste costumière bij een zomertheatergezelschap in Virginia, waar ze werd overgehaald om ook in enkele produkties te acteren. Lauren kreeg de smaak te pakken en ze begon op te treden in theaters in New York, Michigan, Florida en West Virginia.

Toen Lauren naar L.A. verhuisde, verscheen ze in de t.v.-series *HOUSE CALLS, HARPER VALLEY P.T.A., THE A-TEAM* en de speelfilm *Hard to Hold* met Rick Springfield. Terwijl ze acteerles had, werd ze ontdekt door een producer van *THE YOUNG & THE RESTLESS* en kreeg ze de rol van Lindsay Wells aangeboden. Daar leerde ze visagist Nick kennen, met wie ze in 1988 trouwde. Als Lauren nu een fotosessie heeft of naar Europa reist voor een optreden reist Nick met haar mee als haar privé-visagist en kapper.

Toen de *Y & R*-rol ten einde liep, was het slechts een kwestie van maanden voor Lauren terug was in de studio, dit keer aan de andere kant van de gang, in de rol van Margo in *B & B*. Haar echte zwangerschap van Zachary werd in de verhaallijn verwerkt en haar baby werd opgevoerd als Mark, Clarkes onwettige kind. Echtgenoot Nick kent de valkuilen van de showbusiness en was dan ook helemaal niet blij dat zijn zoon als peuter al voor de camera's stond. 'Hij is er niet echt gelukkig mee,' vertelde Lauren destijds, 'maar we hebben een soort van wedden-schap. Als hij stopt met roken, neem ik Zach niet meer mee naar de studio.' Het personage van Margo had korte relaties met Eric, Ridge, Clarke en Bill Spencer, voor ze Mark meenam en echt opstapte – naar Madison, Wisconsin.

Jim Storm
(Bill Spencer)

Acteur Jim Storm schreef in 1969 geschiedenis toen hij na een jaar zijn rol van dr. Larry Wolek in *ONE LIFE TO LIVE* opzei. Jim werd vervangen door zijn broer, acteur Michael Storm, die de rol meer dan 20 jaar (!) speelde. De vervan-ging werd verklaard door het personage plastische chirurgie te laten onder-gaan na een ernstig auto-ongeluk. Niet alleen was dit de enige keer dat een soap-acteur werd vervangen door zijn broer, het was de eerste keer dat plasti-sche chirurgie als hulpmiddel voor de plot werd gebruikt – een methode die te-genwoordig algemeen wordt toegepast in soaps.

Jim werd geboren in een buitenwijk van Chicago en maakte een vroege acteer-start toen hij op z'n achttiende zijn eigen theatergezelschap oprichtte. Vele theater- en televisierollen volgden maar Jim vond zijn draai pas echt als soap-opera-acteur.

Na *ONE LIFE TO LIVE* speelde hij Gerard Stiles in de cult-classic *DARK SHA-DOWS* en had hij rollen in *SECRET STORM, THE DOCTORS* en *THE YOUNG & THE RESTLESS*. In *Y & R* speelde Jim Neil Fenmore.

De acteur creëerde de rol van Bill Spencer in *B & B* en blijft in de serie als de verhaallijn dat rechtvaardigt. Hij en zijn vrouw Jackie hebben drie kinderen en als hij niet acteert brengt hij zijn tijd door met muziek. Als gitarist en zanger toert Jim door de V.S. met zijn country & westernrepertoire en hij heeft een c.d. uitgebracht, getiteld *Dust Bowl*. Hij schrijft ook scripts.

Carrie Mitchum
(Donna Logan)

Geboren als Caroline Elizabeth Day Mitchum, is Carrie de derde generatie die in de voetsporen van haar grootvader, Robert Mitchum, en die van haar vader, Christopher Mitchum, treedt. Ze is de oudste van vier kinderen en bracht vele van haar jonge jaren door in Engeland en Spanje, terwijl haar vader op locatie was. Ze leerde vloeiend Frans en Spaans en nadat ze de University of California in Santa Barbara had bezocht belandde ze als stagiaire bij een effectenmake-laar op Wall Street.

Toch bleef 'het vak' trekken en toen ze besloot een kans te wagen als actrice besprak ze de zaak met haar familie, die zowel de positieve als de negatieve kanten van het vak benadrukte maar die haar ook beloofde te steunen, ongeacht welke beslissing ze zou nemen. 'Ze vertelden me dat het goed werk was als je het kon krijgen,' grapte ze ooit.

En ze kreeg werk, het kostte haar zelfs maar drie maanden om aan de slag te komen. Carrie deed auditie en kreeg een rol in *B & B*. De baan kwam trouwens precies op tijd; ze had nog maar veertien dollar op haar bankrekening staan toen ze haar eerste looncheque verzilverde. Maar haar beroemde afstamming leek meer aandacht te trekken dan haar acteertalent: ze kreeg zelfs fanmail van mensen die fan waren van haar grootvader.

Haar leven nam een sensationele vlucht dankzij de schandaalpers. Ze was verloofd en woonde samen met projectontwikkelaar Justin Taylor, toen ze hem verliet voor de zoon van haar baas. Bill Bells jongste zoon, Bradley, nu hoofdschrijver van de serie, werd Carries nieuwe vriend en de kranten bestempelden haar als een sloerie. De relatie met Bradley hield niet lang stand en Carrie verliet de soap na enkele jaren van middelmatige verhaallijnen die nooit tot iets belangrijks leidden. Momenteel is ze getrouwd met acteur Casper van Diem. Het paar heeft een zoon.

DE SOAP KRIJGT INTERNATIONALE
BEKENDHEID

THE BOLD AND THE BEAUTIFUL beleefde in de Verenigde Staten in 1987 een opmerkelijke start. De serie was omgeven door zeer veel publiciteit, maar zoals bij alle nieuwe soaps vergde het tijd voor het publiek daadwerkelijk ging kijken, te meer daar de soap op dezelfde tijd werd uitgezonden als de succes-nummers *DAYS OF OUR LIVES* en *ALL MY CHILDREN*. De kijkcijfers waren de eerste paar jaar dan ook bepaald niet spectaculair, maar Bill Bell wist uit ervaring dat het een tijd duurt voordat een soap van de grond komt; dat gold destijds voor zijn *THE YOUNG & THE RESTLESS*, een serie die nu al jaren een onverslaanbare nummer één in de V.S. is.

Nu, na acht jaar, heeft *B & B* inderdaad zeer respectabele kijkcijfers in Amerika. Maar ironisch genoeg is deze serie over de Amerikaanse mode-industrie een veel grotere hit in het buitenland en met name in Europa. De soap heeft alle televisierecords gebroken en heeft internationaal geschiedenis geschreven als één van de populairste series *ter wereld*.

B & B is goed voor een omzet van 2,3 miljard dollar – ter vergelijking: Amerikaanse top-t.v.-shows als *THE OPRAH WINFREY SHOW*, die in 58 landen wordt uitgezonden, en *WHEEL OF FORTUNE (RAD VAN FORTUIN)*, dat in 28 landen wordt vertoond, worden allebei overtroffen door deze soap over de mode-industrie.

Bills oudste zoon, Bill Jr., is het zakelijk brein achter Bell-Phillip Productions. Hij behandelt contracten en onderhandelingen. Hij had gezien hoe succesvol soaps als *SANTA BARBARA* en *Y & R* waren bij buitenlandse kijkers en instinctief wist hij dat *B & B* diezelfde internationale aantrekkingskracht had. Samen met de distributeur van New World International begon Bill Jr. te leuren met het 30 minuten durende familie-waagstuk. Italië kocht als eerste de rechten, maar legde de soap op de plank – bepaald geen teken van vertrouwen. Pas drie jaar later stoften ze de banden af en de soap werd Italiës nummer één. Daar wordt de serie nu op prime-time uitgezonden – soms twee keer per avond – en wordt zij beter bekeken dan enige serie uit eigen land. De voormalige Italiaanse president Francesco Cossiga veroorzaakte een klein schandaal in zijn land toen hij na een reis naar de V.S. per ongeluk een deel van een intrige onthulde dat nog niet in zijn eigen land was uitgezonden.

Het succes van *B & B* in Italië hielp de serie te lanceren in andere landen, zoals Zuid-Afrika, Koeweit, IJsland, Egypte en zelfs Japan. De serie wordt momenteel in meer dan 80 landen bekeken en blijft haar bereik ieder jaar vergroten. Het verhaal wordt vertaald in bijna elke denkbare taal en is bekend onder vele verschillende namen: *AMOUR, GLOIRE ET BEAUTÉ* (Frankrijk), *GLAMOUR*

(Scandinavië), *MOOI EN MEEDOGENLOOS* (België), *BELLESA I PODER* (Spanje), *REICH UND SCHÖN* (Duitsland) en simpelweg *BEAUTY* (Italië).

De soap heeft in sommige landen zo'n cultachtige status bereikt dat zelfs Azerbeidjaanse soldaten hun wapens elke dag voor dertig minuten neerleggen om te zien of Brooke zal vechten voor Ridge of dat zij bij Eric blijft. In België wordt de serie om half zeven uitgezonden en mensen haasten zich van hun werk naar huis om getuige te zijn van Sally's listen, en Macy en Thorne zijn zo'n populair stel dat het echte zangduo Bobbie Eakes en Jeff Trachta in landen als Denemarken en Nederland, waar ze een hit-c.d. hebben en optreden voor uitverkochte concertzalen, de superstersstatus bereikt hebben.

Waarom is er zoveel te doen om een serie die notabene al acht jaar oud is? Simpel gezegd: Locatie. *B & B* is momenteel de enige Amerikaanse soap die zich op bestaande locaties afspeelt en wel in Los Angeles – een stad die over de hele wereld wordt gezien als de stad waar dromen uitkomen. De serie *SANTA BARBARA* had een vergelijkbaar succes vanwege de realistische locatie en *BAYWATCH* en *BEVERLY HILLS 90210* plukken momenteel de internationale vruchten van hun Zuidcalifornische decor. 'Ik denk dat een groot deel van onze populariteit te maken heeft met Los Angeles,' constateert hoofdschrijver Bradley Bell. 'Los Angeles is een stad die een internationale fascinatie lijkt op te roepen. Natuurlijk heeft dat te maken met het feit dat Hollywood er ligt en dat het de geboorteplaats van zowel de televisie als de film is. Het is een op-en-top glamoureuze stad, waar altijd wel iets gebeurt, en mensen willen deel zijn van die actie.'

De serie was misschien niet zo populair geworden als de Bells hun originele plan hadden doorgezet en de soap in hun thuisstad Chicago hadden gesitueerd. Kort voor de serie in produktie ging, werd het decor alsnog verplaatst naar de Westkust en dat was een gouden greep, want de soap zou waarschijnlijk niet zo'n succes zijn geworden als de Bells voet bij stuk hadden gehouden en van de Forresters een familie uit het Midden-Westen hadden gemaakt. Medeschepster Lee Bell: 'Ik denk dat Californië de beste locatie is voor het tonen van zulke fantastische kleding en knappe sterren. Maar dat zijn slechts de lokkertjes voor een goed verhaal. Ik denk dat ook buitenlandse kijkers zien dat het leven hier niet zo anders is. De emotionele problemen waarmee we te maken hebben – liefde, haat, jaloezie – komen overal ter wereld voor en kijkers vinden de toestanden in *B & B* dan ook niet anders dan hun eigen problemen.'

'Bill en Bradley Bell houden de serie vrij universeel,' zegt Joanna Johnson (Caroline/Karen). 'We hebben geen IJsprinses-verhalen (*GENERAL HOSPITAL*) of buitenaardse wezens die op aarde landen. Wat mensen interesseert, zijn menselijke problemen. Je zult altijd een publiek hebben als je liefde, romantiek en persoonlijke tragedie behandelt. De Ridge/Caroline/Brooke-driehoek was een van de populairdere verhaallijn van de serie, zowel in Amerika als in Italië. Driehoeken werken echt goed. Mensen lijken zich te kunnen verplaatsen in heen en weer geslingerd worden tussen twee liefdes.'

Naast locatie en romance kan een deel van de populariteit van *B & B* worden toegeschreven aan de continuïteit van de serie. Al acht jaar, meer dan 2.000 afleveringen, heeft de serie vrijwel dezelfde bezetting als in het begin. *SANTA BARBARA* is intussen door de nieuwe afleveringen heen en is in veel landen gestopt met het uitzenden van de serie. *BEVERLY HILLS 90210*, dat in de Verenigde Staten in '95 voor het laatst te zien zal zijn, en *BAYWATCH* hebben ieder maar één aflevering per week en er zijn dus maar een beperkt aantal afleveringen voor het buitenland beschikbaar. Het is duidelijk dat *B & B* eruit springt als een klasse apart.

Met zo'n wereldwijde vertoning worden *B & B*-acteurs die naar het buitenland gaan, onthaald met een pracht en een praal die meestal alleen is voorbehouden aan personen van koninklijke bloede. Ronn Moss (Ridge), Katherine Kelly Lang (Brooke) en Joanna Johnson (Caroline/Karen) hebben het overzeese, uitzinnige enthousiasme van fans diverse malen meegemaakt – toestanden waarvan zij in de Verenigde Staten nooit hadden durven dromen. 'Ik ben nu vier keer naar Italië geweest,' vertelde Joanna. 'Onze serie is daar een fenomenaal succes. Voor ons is dat bizar, omdat in Amerika soap-sterren onder aan de beroemdhedenladder staan. In Italië is dat anders – je wordt behandeld als een rockster. Je hebt bodyguards nodig om door de menigten te komen – zo beroemd zijn, dat is een heel bizar gevoel. Als ik in Italië zou wonen, zou mijn leven er compleet anders uitzien. Ik zou niet zomaar boodschappen kunnen doen. Er is in Italië een vorm van hysterie rond de serie die je als acteur niet verwacht.' Joanna's vorige personage in de soap, Caroline, was zo populair dat de serie haar naam in verschillende landen als titel gebruikte – dat wil zeggen tot haar voortijdige verscheiden.

Maar ook in andere landen zijn de *B & B*-sterren veel gevraagd: talkshows op t.v. en interviews in tijdschriften, maar ook filmmakers en platenmaatschappijen die munt willen slaan uit de populariteit van de serie, staan regelmatig bij de *B & B* acteurs op de stoep. En natuurlijk vinden de sterren het allemaal heerlijk: hun ego's worden gestreeld door al die aandacht en het extra geld dat ze verdienen met deze publieke optredens is natuurlijk ook zeer welkom. De acteurs hebben bovendien ontdekt dat ze hun succesvolle bestaan voort kunnen zetten in het buitenland zelfs nadat hun personage uit de soap geschreven is. Todd McKee (Jake) en Teri Ann Linn (Kristen) zijn in Amerika allang van het scherm verdwenen, maar in Europa zijn ze in vele landen nog volop present. Deze twee, samen met anderen als Clayton Norcross (de eerste Thorne) en Daniel McVicar (Clarke) hebben de V.S. voor lange tijd verlaten om overzee de kansen te benutten die ze in Amerika niet krijgen. Hoewel het voor hen niet altijd makkelijk is om van huis weg te zijn, realiseren deze acteurs zich maar al te goed dat een grote ster zijn in Europa altijd beter is dan helemaal geen werk hebben in Amerika.

B & B kreeg ook snel vaste voet aan de grond op de Aziatische markt, waarmee landen als Mongolië, Turkije en Rusland bereikt werden. De serie is een eclatant succes in India. 'Het is echt een verrassing dat we in India zo groot zijn,' zegt een tevreden Bradley Bell. 'We zijn de grootste t.v.-serie in hun geschiedenis met ongeveer 16 miljoen kijkers per dag. Ik denk niet dat iemand zo'n groot succes had verwacht. Ik denk dat het te maken heeft met de knappe acteurs, de sets, de muziek – gewoon het hele gevoel dat *B & B* probeert uit te stralen – en de Zuidcalifornische manier van leven natuurlijk.'

Nu zetten de Bells alles op alles om in Zuidamerikaanse landen te infiltreren. Het probleem is dat vele van deze landen al hun eigen soaps uitzenden – de *telenovelas*. Vreemd genoeg wordt de serie nog steeds niet overal in Amerika uitgezonden en dat terwijl de serie weinig moeite heeft om toestemming te krijgen om in Nieuw-Zeeland, Iran, Saoedi-Arabië, Zweden en Vietnam op het scherm te verschijnen. In 1987 was *B & B* slechts in 93 % van het land te zien, terwijl andere soaps op 99 % zitten. Deze situatie was natuurlijk de eer te na van de Bells en Lee Bell ging zich er persoonlijk mee bemoeien om de belangen van de soap te vergroten. Op dit moment kan 96 % van de V.S. op de serie afstemmen. Lee onthult dat er plannen zijn om *B & B* uit te breiden naar een uur, een plan dat door de fans ongetwijfeld met gejuich ontvangen zal worden. Bovendien is een uitzending van een uur voor televisiestations makkelijker in te passen in hun programmering, dus dat trekt landen die *B & B* nog niet uitzenden wellicht over de streep.

Naast uitbreiding tot een uur wil Bradley ook graag decors buiten Los Angeles gaan gebruiken – afleveringen die worden opgenomen op locatie in een van de andere landen waar de soap populair is. 'We zouden graag naar een romantische, exotische locatie gaan,' onthult hij. 'Onze populariteit in Azië, India, eigenlijk over de hele wereld geeft ons de mogelijkheid om ook daar op te nemen – het zou toch zonde zijn als we die kansen niet benutten?'

JAAR VIER

'Neem een oester, Clarke. Neem er twee. Neem er twaalf.'

Ridge en Caroline hebben een prachtige huwelijksplechtigheid bij de missie-post waar Carolines moeder begraven ligt. In de bruidssuite gaan ze eindelijk met elkaar naar bed. De jongste Forrester-dochter, Felicia, komt terug uit Europa om de huwelijksplechtigheid bij te wonen. Het is duidelijk dat haar relatie met Stephanie gespannen is.

Vijf huwelijksmaanden later gaat Caroline heimelijk naar het ziekenhuis voor enkele tests. Brooke, een chemica in het ziekenhuislaboratorium, onderzoekt zonder het te weten het bloed van Caroline en ontdekt dat ze ernstig ziek is. Als blijkt van wie het bloedmonster afkomstig is, schrikt Brooke zeer en biedt Caroline haar vriendschap en steun aan. De twee vrouwen schuiven hun meningsverschillen opzij en spreken af dat ze Carolines leukemie voorlopig zullen verzwijgen voor Ridge. Dr. Taylor Hayes zal Caroline psychisch begeleiden en ook Brooke helpt waar ze kan. Ironisch genoeg vraagt Caroline aan Brooke om Ridge op te vangen als zij sterft. Een nietsvermoedende Ridge geeft zijn vrouw een bedelarmband – en een gedenkbedeltje – omdat ze zes maanden getrouwd zijn. Hij is voornemens om zijn geliefde echtgenote ieder huwelijksjaar een bedeltje te schenken. Brooke kan het echter niet langer aanzien; ze vindt dat Ridge in de gelegenheid gesteld moet worden om afscheid te nemen van zijn vrouw. In tranen vertelt ze hem over Carolines ziekte.

Nu het bekend is haalt Caroline de hele familie bij elkaar voor een etentje. Daar verenigt ze de gezworen vijanden Stephanie en Brooke en Ridge en Bill door hen te vragen hun geschillen te vergeten en vrienden te zijn. Terwijl ze met Thorne danst, wordt Caroline even duizelig en ze vraagt Ridge haar naar huis te brengen. Op haar sterfbed vertelt Caroline aan Ridge dat zij Brooke perfect vindt als vervangster en dat ze niets liever zou zien dan dat Ridge en Brooke trouwen. De twee geliefden bidden samen en dan sterft Caroline.

Het slinkse komplot dat Stephanie bedacht om Beth Logan en haar man te herenigen, komt aan het licht. Bovendien ontdekt Eric dat Stephanie de overplaatsing van de Logans naar Parijs heeft geregeld en dat ze onvoorstelbaar grof tegen Brooke is geweest als straf voor zijn overspel. Hij is geschokt door het gedrag van zijn vrouw, dat zoveel ellende heeft veroorzaakt in de familie Logan. Eric belooft Brooke dat hij het goed zal maken bij haar. Als hij naar huis gaat om een hartig woordje te wisselen met Stephanie, treft hij haar echter bewusteloos aan. De dokter zegt dat Stephanie een lichte beroerte heeft gehad en dat ze ontzien moet worden. Stress en spanning zouden funest kunnen zijn. Eric heeft moeite met zijn tegenstrijdige gevoelens voor zijn vrouw: hij begrijpt dat ze haar huwelijk wil redden, maar hij is woedend op haar en veracht de methodes die ze hanteert. Brooke troost hem en dat leidt tot een tedere kus. Kort daarna bekennen Eric en Brooke hun sterker wordende gevoelens voor elkaar en Eric verbluft Stephanie door haar toch nog om een echtscheiding te vragen. Beth keert terug in de stad voor een bezoek aan haar arts en denkt dat Eric nog steeds iets voor haar voelt. Een misvatting, want intussen genieten Eric en Brooke van hun romance en bedrijven ze de liefde in de skihut. Beth nodigt Eric uit voor de lunch en ze vertelt hem dat ze Steven graag verlaat voor hem, maar uit zijn reactie maakt ze op dat hij al verliefd is op iemand anders. In tranen bekent Brooke haar moeder dat zij die andere vrouw is en Beth is gekwetst door haar dochters verraad.

Stephanie weet Eric over te halen om hun huwelijk een proefperiode van dertig dagen te geven. Brooke, die inmiddels heeft ontdekt dat ze zwanger is van Eric, is daardoor diep gekwetst. Ze neemt verlof en gaat naar Parijs om na te denken en tot zichzelf te komen. In Parijs neemt ze restauranthouder Pierre in vertrouwen en vertelt hem dat ze een abortus overweegt. Eric hoort van Donna waar Brooke uithangt en reist haar spoorslags achterna. Hij bereikt haar nèt voordat men in de kliniek haar zwangerschap zou beëindigen. Op de terugvlucht vraagt Eric Brooke ten huwelijk.

In een rechtszaal in Reno, Nevada, hoopt Eric een snelle scheiding te regelen en dezelfde dag nog met Brooke te kunnen trouwen. Maar Stephanie heeft inmiddels gehoord van Brookes zwangerschap en stuift furieus de rechtszaal binnen om de echtscheiding aan te vechten. Intussen staat Brooke voor het altaar in de kapel te wachten op haar aanstaande, maar als Eric eindelijk arriveert, kan hij niets anders doen dan de plechtigheid afgelasten. Stephanie blijft de scheiding blokkeren in de hoop dat Brooke genoeg krijgt van Eric en weer achter Ridge aan zal gaan. Haar tactiek lijkt te werken wanneer Brooke opnieuw de stad verlaat om alles te overdenken. Ze keert terug op de dag van de voorjaarsmodeshow van Forrester en terwijl ze de show bekijkt, krijgt ze weeën. Ridge haast zich naar het ziekenhuis en blijft aan haar zijde tijdens de geboorte van Eric Jr. Desondanks blijft Brooke bij haar beslissing om bij Eric te blijven in het belang van hun kind.

Kristen vertelt haar teleurgestelde vader eindelijk dat haar huwelijk met Clarke voorbij is en dat ze met Mick hoopt op een tweede kans op liefde. Het paar vertrekt om een leven in New York op te bouwen.

Clarke, die nog steeds ontwerpt voor zowel Forrester als Spectra, vraagt Margo of ze nog altijd iets voor hem voelt. Hij stelt haar voor dat ze Bill verlaat en naar hem terugkeert. Maar bij Spectra bereidt Sally intussen een romantische avond voor tijdens welke ze Clarke wil verleiden. Ze herinnert Clarke eraan dat zij ooit minnaars zijn geweest en nu hij vrijgezel is, heeft ze een plan voor hen samen. Als hij haar huwt zal hij zijn eigen modelijn krijgen en zal hij tevens mede-eigenaar worden van haar bedrijf. Clarke is geïntrigeerd door het idee de bedrijfsnaam te veranderen in Clarke Garrison Originals – als hij met haar trouwt. Margo besluit dat ze Bill Spencer niet wil opgeven en Clarke overweegt Sally's voorstel, hoewel hij er niet naar uitkijkt haar bed te delen.

Eric is onder de indruk van Felicia's ontwerpen en stelt Clarke aan als haar mentor bij Forrester. Ridge verrast Clarke door hem te promoveren tot senior ontwerper bij Forrester vóór hij de kans heeft ontslag te nemen. Maar bij de herfstmodeshow ziet Clarke dat zijn pronkstuk, zijn ontwerp dat de finale zou vormen, werd vervangen door een ontwerp van Ridge' hand. Woedend neemt Clarke op staande voet ontslag waarbij hij vermeldt dat hij een baan heeft aangenomen bij Spectra. Hij en Sally geven een persconferentie om hun verloving en de naamsverandering van het bedrijf bekend te maken. Achter Sally's rug om blijft Clarke echter flirten en om onder zijn huwelijkse plichten uit te komen, vertelt hij Sally dat hij impotent is en dat hij niet in staat zal zijn zijn plichten als echtgenoot te vervullen. Sally laat zich echter niet uit het veld slaan. Ze wil Clarke graag helpen met zijn probleem en dringt aan op het vaststellen van een trouwdatum. Macy probeert blij te zijn voor haar moeder, maar is argwanend tegenover Clarke.

Sally dringt erop aan dat Clarke het contract met huwelijksvoorwaarden tekent, wat hij noodgedwongen doet. Als hij informeert naar het Clarke Garrison Originals-logo vraagt Sally zich af of ze er wel goed aan doet. Als de plechtigheid naderbij komt, blaast Sally het huwelijk toch af. Clarke volgt Sally naar de slaapkamer en moet haar verleiden om haar terug te winnen. Nadat ze de liefde hebben bedreven, stemt Sally uiteindelijk toch in met het huwelijk en enkele dagen later trouwen ze.

Terwijl Macy probeert Mick te vergeten, brengt ze meer en meer tijd door met Thorne. De twee vertrekken samen naar de Forrester-skihut in Big Bear en beklagen zich over hun miserabele liefdesleven. Sally is door het dolle heen omdat haar dochter eindelijk vriendschap heeft gesloten met een lid van de Forrester-familie, maar Thorne is zich er niet van bewust dat Macy de dochter is van de aartsrivale van de familie.

Tijdens een variétéshow om geld in te zamelen voor een ziekenhuis zingen Thorne en Macy een romantisch duet. Donna, die iets voelt voor Thorne, ziet met lede ogen aan hoe het zingende tweetal verliefde blikken wisselt en voelt zich door Thorne verraden. Thorne slaat Macy met stomheid door te dreigen met rechtsacties tegen Spectra voor het wegkapen van Clarke. Bij Pierre's restaurant zingen Macy en Thorne nogmaals een lied en hij vraagt haar met hem te trouwen. Ze zegt 'ja' en is van plan hem die nacht te vertellen dat ze Sally's dochter is. Maar hij ontdekt het eerder: hij ziet trouwfoto's van Sally in Bill Spencers tijdschrift en op die foto's staat Macy aan haar moeders zijde. De Forresters hebben het idee dat Sally haar dochter heeft gestuurd om de familie te bespioneren. Macy probeert Thorne uit te leggen dat ze dacht geen kans bij hem te hebben als hij de waarheid wist, maar hij blijft zich afwijzend en boos opstellen. Ze geeft de verlovingsring terug die Thorne haar gaf en vertrekt ontroostbaar naar haar moeders huis.

Sally is razend op Bill Spencer, omdat hij stiekem foto's van de huwelijksplechtigheid had laten nemen en ze zonder toestemming publiceerde. En het zijn juist die foto's die de relatie tussen Macy en Thorne kapotmaakten. Sally dreigt dat zij zal onthullen dat Bill ook pornografische bladen publiceert als hij de ontwerpen van Clarke afkraakt in *Eye on Fashion*. Bill stuurt een spionne, Julie, naar de Spectra-organisatie. Haar opdracht is maatjes te worden met Clarke onder het mom dat ze een boek schrijft over mode. Maar Clarke vindt Julie nèt even te leuk en de twee beginnen een verhouding achter de ruggen van Sally en Bill om. Julie wordt verliefd op Clarke.

Thorne en Macy realiseren zich dat ze, ondanks de nijd tussen hun families, heel veel van elkaar houden en verloven zich opnieuw. Thorne moet evenwel de strijd aanbinden met zijn familie om hen zover te krijgen dat ze Macy accepteren. De twee bepalen de trouwdag op 23 oktober, Macy's verjaardag, maar ze besluiten er tussenuit te knijpen als de Forresters blijven weigeren een groots huwelijksfeest bij te wonen. Sally is het er echter niet mee eens. Ze gunt haar dochter een groot feest en hoopt een heimelijk huwelijk te verijdelen door Thorne te bepraten. Ze weet, verkleed als man, binnen te komen bij Forrester Creations, maar wordt dan betrapt en gearresteerd wegens bedrijfsspionage.

De Forresters, met uitzondering van Felicia, weigeren bij Thornes huwelijk aanwezig te zijn. In de kapel zingen Thorne en Macy 'Here and Now' voor elkaar. Ridge arriveert op tijd om getuige te zijn en Eric en Stephanie komen toch ook op het laatste nippertje om hun zoon te zien trouwen.

Sally moet vanwege haar vermeende spionageactiviteiten voor de rechter verschijnen. Thorne vertelt de rechter dat hij gelooft dat zijn schoonmoeder alleen maar probeerde te helpen en dat ze zeker geen ontwerpen wilde stelen. Op verzoek van haar zoon trekt Stephanie de aanklacht in.

Storm Logan wordt weer overgeplaatst en keert terug naar Los Angeles. Hij is Kristen nog niet vergeten, maar nu zij naar New York is vertrokken, legt hij zich bij de feiten neer en zet haar uit zijn hoofd. Bovendien maakt hij kennis met Kristens aantrekkelijke zuster Felicia. Storm verafschuwt de Forresters, maar Felicia is de rebel van de familie en dat maakt haar in zijn ogen zeer aantrekkelijk.

Ridge huurt tennisprof Jake MacClaine in, in de hoop dat Stephanie weer wat meer beweging neemt en dat de tennislessen haar wat zullen afleiden van de echtscheidingsperikelen. Felicia en Jake ontmoeten elkaar als hij op Stephanie wacht en hoewel de kennismaking niet bepaald vlekkeloos verloopt en er de nodige hatelijkheden worden uitgewisseld, vindt Felicia de vreemdeling toch intrigerend. Hij huurt een kamer in het huis van de Logans en ook Donna is vrijwel meteen gecharmeerd van Jake. Ook Margo ziet Jake en kan haar ogen niet geloven: haar broer was jarenlang spoorloos verdwenen en duikt nu ineens weer op in het gezelschap van Felicia. Margo vertelt Felicia dat Jake jaren eerder van huis wegliep en nimmer iets van zich liet horen. De moordende onzekerheid over het lot van hun zoon bracht haar ouders tot wanhoop en dreef haar vader tot een poging tot zelfmoord. Ze smeekt Felicia geen relatie met Jake te beginnen omdat ze ervan overtuigd is dat hij ook haar leven zal verwoesten. Maar Felicia is verliefd en blijft met Jake omgaan. Als Felicia en Jake proberen de liefde te bedrijven, is Jake ontzet als blijkt dat hij impotent is. Hij liegt en zegt dat hij zich niet tot haar aangetrokken voelt, waardoor Felicia geschokt en verdrietig zijn huis uitvlucht. Margo troost Felicia en wil Jake na dit incident zo graag uit haar leven verbannen dat ze hem $ 5.000 biedt om de stad te verlaten.

Donna weet Jake echter te overtuigen dat weglopen geen oplossing is. Hij waarschuwt haar niet verliefd op hem te worden omdat hij een wandelende tijdbom is, maar het is te laat. Wetend dat hun ouders verdrietig zijn zonder Jake gaat Margo toch een gesprek met hem aan om te ontdekken waarom hij jaren geleden is weggelopen. Hij verbijstert haar door te onthullen dat hun vader hem seksueel heeft misbruikt toen hij nog maar een kind was. Margo moedigt Jake aan hun vader, Ben, hiermee te confronteren. Jake reist inderdaad naar zijn ouderlijk huis en beschuldigt zijn vader, maar die ontkent dat hij zijn zoon ooit zelfs maar heeft lastig gevallen. Ben krijgt een hartaanval en zijn broer, Charlie, komt hem te hulp.

Felicia hoort van Margo wat er aan de hand is met Jake en zij blijft aan zijn zijde als hij zijn familie met zijn ervaringen confronteert. Ben wil alleen maar dood uit gêne om de situatie.

Storm ziet dr. Taylor Hayes in een restaurant en de twee herinneren zich elkaar van de middelbare school. Ze maken vrijblijvend afspraakjes, maar Ridge trekt meer en meer naar Taylor toe uit verdriet om Caroline. Ridge, die z'n baard laat staan als teken van rouw, geeft Taylor een door hem ontworpen japon en nodigt haar uit voor een etentje bij Pierre's – waar ze worden gezien door Storm. Stephanie is razend als ze zich realiseert dat Taylor en Ridge intiem worden, omdat dat betekent dat de kans dat hij en Brooke ooit weer samenkomen, miniem is. Ook Storm probeert Taylor te overtuigen dat Ridge emotioneel nog steeds gebonden is aan Brooke en dat ze dus geen relatie met hem moet beginnen. Nu Brooke ervoor gekozen heeft bij Eric te blijven, kust Ridge haar symbolisch vaarwel. Brooke klaagt dat zijn baard prikt en hij scheert zich prompt.

Intussen vinden Ridge en Taylor het moeilijk om toe te geven dat ze elkaar mogen en Taylor trekt meer en meer op met Storm, die de aantrekkelijke dokter ten huwelijk vraagt.

Beth doet een laatste, verwoede poging Eric voor zich te winnen, maar realiseert zich dat ze haar grote liefde aan haar eigen dochter is kwijtgeraakt. Eric plant een sprookjeshuwelijk voor Brooke. Ook Margo bekent Eric haar liefde en zegt dat ze altijd heeft gedacht dat zij de volgende mevrouw Eric Forrester zou zijn. Bill vangt de betraande bekentenis op en realiseert zich dat hun eigen huwelijk in gevaar is.

Thorne wordt op de ochtend van zijn vaders huwelijk ziek en Ridge vervangt hem als zijn vaders getuige. Eric en Brooke hebben een prachtige plechtigheid en de bruidegom voert zijn bruid weg in een luchtballon. Ze landen in de woestijn waar ze te paard naar een tent rijden die regelrecht uit *De Vertellingen van Duizend-en-één Nacht* lijkt te komen.

Daniel McVicar
(Clarke Garrison)

Met zijn donkere, knappe uiterlijk en vierkante kaaklijn kan Clarke er niks aan doen dat hij de verpersoonlijking van het kwaad is. Of wordt hij slechts verkeerd begrepen? Van het moment dat deze jonge, beginnende mode-ontwerper naar Los Angeles kwam, heeft hij alles op alles gezet om in het bed te belanden van iemand, wie dan ook, die hem naar de top kon brengen. Hij begon bij ijskoningin Stephanie Forrester maar realiseerde zich snel dat hij de toorn van papa Forrester beter niet over zich kon afroepen als hij bij Forrester Creations aan de slag wilde. Dochter Kristen is een betere keuze en hij maakt haar dan ook – ondanks haar terughoudendheid jegens mannen – het hof. Hoewel getrouwd, kan de playboy zijn dierlijke lusten echter niet onderdrukken en hij zet zijn verhouding met Margo, de beste vriendin van zijn vrouw, gewoon voort. Die stiekeme affaire heeft tot gevolg dat Margo in verwachting raakt van Clarke – ze wordt moeder van zijn onwettige zoon. Om te voorkomen dat Margo naar de rechtbank stapt om Clarke tot het betalen van alimentatie te dwingen, moet Clarke met geld over de brug komen. Om het geld bij elkaar te krijgen wendt Clarke zich tot concurrent-ontwerpster Sally Spectra. Hij sluit een pact met de duivel: Clarke moet in ruil voor het geld Forrester-ontwerpen stelen. Het plan lijkt te lukken, maar Clarke raakt meer en meer verstrikt in zijn eigen leugens en loopt uiteindelijk tegen de lamp. Hij raakt zowel zijn baan als Kristen kwijt en dan slaat Sally toe: ze biedt hem de helft van haar bedrijf aan op voorwaarde dat hij met haar trouwt. Terwijl iedereen beseft dat Clarke een ploert is, valt Sally voor zijn charme en blijft ze geloven dat hij net zoveel van haar houdt als zij van hem. Bovendien gebeurt wat niemand verwacht: Sally raakt in verwachting van Clarke! Het stel krijgt een zoon, Clarke Jr., oftewel C.J.

Acteur Daniel McVicar kwam bij *B & B* toen de serie al zes maanden liep in het eerste jaar. Hij moest ervoor zorgen dat de stoffige Forrester-clan een beetje werd opgeschud. De serie had wel al een vaste playboy in de persoon van Ridge, maar die was dan wel rokkenjager, maar geen intrigant en zeker geen leugenaar. Schepper Bill Bell hoefde niet al te hard te zoeken toen hij besloot de rol van Clarke te casten: Daniel had al eerder auditie gedaan voor een rol die hij niet kreeg: de rol van Ridge.

Het McVicar-dozijn
In tegenstelling tot de achterbakse Clarke is Daniel op en top een eerlijke huisvader met gedegen principes en een sterk ontwikkeld arbeidsethos. Volgens

zijn eigen zeggen heeft die levenshouding alles met zijn opvoeding te maken. Daniel werd geboren in het landelijke Indepence, Missouri als een van twaalf – twaalf! – kinderen. Kort na zijn geboorte reisde het gezin McVicar naar het westen naar Colorado, de streek die Daniel als zijn thuis beschouwt. In het gezin McVicar moest je aardig je best doen om op te vallen tussen de andere kinderen en Daniel leerde dan ook al heel jong zijn aanleg voor gekke stunts, capriolen en toneelspel te ontwikkelen. Op school speelde hij geregeld in toneelstukken en toen Daniel na zijn eindexamen moest beslissen wat hij zou gaan doen, viel de keuze hem niet zwaar: hij realiseerde zich dat hij het gelukkigst was als hij op het toneel stond. Met wat geld van zijn behulpzame ouders in één zak en het spaargeld van zijn hele leven in de andere toog Daniel naar Californië.

Terug naar school
Daniel wist dat hij niet meteen na aankomst in Los Angeles een mooie rol in de wacht zou slepen. In plaats daarvan besloot hij onder aan de ladder te beginnen en schreef hij zich in aan de California Institute of Arts om de fijne kneepjes van het acteursvak onder de knie te krijgen. Daarnaast volgde hij lessen bij de vermaarde toneelpedagoge Stella Adler en was hij een van de weinigen die jaarlijks werden aangenomen om op te treden met de Comedy Store's Improvisation Troupe. Daar leerde hij zijn natuurlijke komische talent aan te scherpen, dat hij later zou aanspreken voor zijn rol van Clarke. 'Het waren lastige optredens,' zegt Daniel over zijn werk bij de cabaretgroep, 'maar de ervaring is van onschatbare waarde. Ik leerde er niet alleen perfect te timen, maar ik kreeg er ook zelfbeheersing en zelfvertrouwen.' Zijn inspanningen loonden: hij kreeg een beurs van een jaar voor de Royal Academy of Dramatic Arts in Londen.

Een soap-carrière is geboren
Met een riante opleiding op zak keerde Daniel na een jaar terug naar de V.S. alwaar hij zich meteen in het auditiecircuit stortte. Maar de rollen lagen niet voor het opscheppen en Daniel bleef werkloos. Intussen kruiste echter wel amor zijn pad: hij trouwde met Darling, schrijfster van mysteries, en zijn grote liefde. Darling bracht hem geluk, want niet lang na de huwelijksvoltrekking werd hem gevraagd om auditie te doen voor een rolletje in *THE YOUNG & THE RESTLESS*. Hij maakte indruk op de casting-director en kreeg een eenmalige rol als 'een van de jongens onder de douche' – een bescheiden start, maar een start.
Daniel verscheen vrijwel naakt op netwerk-televisie en dat optreden bleef hangen in de herinnering van de casting-director van *B & B*. Toen men een relatief onbekende acteur zocht voor de rol van Ridge Forrester werd Daniel gevraagd om auditie te doen. 'Ik speelde Ridge alsof hij een "J.R. Ewing" was,' zegt hij, 'ik maakte er een doortrapt type van, net zoals ik in de t.v.-serie *DALLAS* had

gezien. Ik dacht ook oprecht dat Ridge een onruststoker moest zijn, maar de schrijvers van de serie zagen hem veel meer zoals Ronn Moss hem neerzette.' Ronn kreeg, vanzelfsprekend, de rol van Ridge.

Maar op het moment dat B & B een onruststoker nodig had, dacht men meteen aan de man die Ridge zo'n vals karakter had gegeven en werd Daniel gebeld met de vraag of hij nog steeds beschikbaar was. Hij was niet alleen beschikbaar, hij zat zelfs te springen om een baan, daar hij en Darling binnenkort hun eerste kind verwachtten, Thomas Henry (Hank). Hij had al een heel arsenaal aan baantjes afgewerkt tot dit aanbod kwam en hij greep de kans om Clarke te spelen met beide handen aan. Clarke was een mysterieuze, wispelturige charlatan die het bed van elke mooie vrouw in de serie in en uit wipte – een droomrol dus.

In sommige soapseries doen de slechteriken hun werk en sterven ze een snelle dood. Maar Daniel gaf de rol diepgang en langzaam maar zeker leerden de kijkers meer en meer over Clarke en over de motieven voor zijn daden. 'In het begin ontdekten de kijkers maar langzaam iets over hem en men vroeg zich dan ook af of hij nu te goeder trouw handelde of een slechterik was,' vertelt de acteur. 'Heerlijk om mensen zo lang in het ongewisse te laten!'

Een hit overzee

Toen zoon Hank drie jaar was, kreeg hij een zusje, Margaret Lee (Maisy). Terwijl Darling het druk had met haar succesvolle carrière als schrijfster en met het moederschap, moest Daniel vaak het land uit om B & B in heel Europa te promoten. De soap was zeer succesvol overzee en – dat had hij nooit durven dromen – in Europa was Daniel een sekssymbool! 'Toen ik met vier B&B collega's in Rome aankwam, stond er een menigte van enkele duizenden mensen voor ons hotel in de regen te wachten om een glimp van ons op te vangen,' herinnert hij zich. 'We gingen naar buiten om gedag te zeggen zodat iedereen naar huis kon. Er was één vrouw die haar zoontje tegen de politieversperring aan duwde, terwijl ze haar armen strekte om te proberen ons aan te raken en gedag te zeggen. Het was puur fanatisme en, in dit geval, gevaarlijk. Ik had met het joch te doen.'

Net als zijn collega-sterren begon Daniel naast B&B rollen te accepteren in buitenlandse produkties om zijn populariteit over de hele wereld te gelde te maken. Zijn eerste rol was in de film A WOMAN'S SECRET met Margaux Hemingway en Apollonia. In de V.S. is de film nooit uitgebracht, maar overzee draaide hij met veel succes. Daniel richtte thuis zijn eigen produktiebedrijf op, zodat hij dicht bij Hank en Maisy kon zijn. Het bedrijf ontwikkelt speelfilms en televisieprojecten waarin Daniel zowel als producent als acteur optreedt.

Hoewel het met zijn internationale carrière snel bergopwaarts ging, wilde hij toch meer doen met de rol van Clarke in B & B. 'Ik denk nog altijd dat er met Clarke veel meer gedaan kan worden,' legt hij uit. 'Voor mij is hij een interessant personage met vele tegenstrijdigheden en mogelijkheden. Ik heb altijd het gevoel gehad dat Clarke eerder in zijn leven gekwetst is, maar dat is nooit echt uitgespeeld. Het lijkt me fantastisch om die man een bewogen verleden te geven!'

Statistische gegevens
Geboren: 17 juni in Independence, Missouri
Burgerlijke staat: getrouwd met Darling McVicar, twee kinderen, Thomas Henry en Margaret Lee
Opleiding: California Institute of Arts; Royal Academy of Dramatic Arts in Londen
Interesses: jazz, golf, muziek
Dagdrama's: THE BOLD AND THE BEAUTIFUL, Clarke Garrison, 1987-?

Colleen Dion
(Felicia Forrester)

Felicia is de jongste Forrester-dochter en de grootste pechvogel. Ze heeft geen geluk in de liefde en geen geluk in haar carrière. Als getalenteerd mode-ontwerpster leek Felicia geknipt voor Forrester Creations. Maar hebzucht en ongeduld zorgden ervoor dat Felicia tekende bij de vijand, Spectra Fashions. Toen ze besloot haar familie trouw te blijven was het te laat; Sally wilde haar troef niet laten gaan. Depressief op haar werk, hoopte Felicia op een romance om haar gedachten van haar zorgen af te leiden. Maar de mannen met wie zij iets wilde, bezorgden haar alleen maar een gebroken hart en verdriet.

Meer dan een knap gezicht

Colleen Dion werd geboren in de staat New York en is de jongste van vier kinderen – ze heeft twee zussen en een broer. Haar vader zat in de verzekeringsbranche en haar moeder zorgde voor de kinderen. Al gauw verhuisde het gezin naar Crystal Lake, een buitenwijk van Chicago, waar Colleen opgroeide.

Als kind had Colleen geen aspiraties om actrice te worden – ze wilde model worden. Op haar vijftiende werd ze finaliste in de Baby Soft-wedstrijd van *Love*, waardoor ze in New York belandde. Ze won het contract van *Love* niet, maar de gelegenheid leidde haar naar andere baantjes en ze werd een populair tienermodel en ze verscheen op de omslagen van verschillende mode- en schoonheidstijdschriften. Maar omdat ze slechts 1.65 meter lang is, waren Colleens mogelijkheden als model beperkt en dus ging ze terug naar huis. Eenmaal terug in Crystal Lake werd ze op school met de nek aangekeken. 'Veel meisjes waren jaloers en gemeen. Ze verspreidden geruchten dat ik een snob, een kreng en een del was, alleen omdat ik model was. Ik had succes, dus moest ik wel arrogant zijn en een hoer. De waarheid was dat ik gewoon een aardig meisje was dat een paar vrienden zocht,' vertelt Colleen, om er gniffelend aan toe te voegen dat ze uiteindelijk besloot haar klasgenoten te geven waar ze om vroegen: ze had verschillende vriendjes en gedroeg zich als een 'wilde vrouw' en 'vrij gestoord'.

Colleen keerde terug naar New York en kreeg de rol van Evie Stone in de soap *SEARCH FOR TOMORROW*. Ze vond het enig deel uit te maken van de soapwereld omdat ze zelf verslingerd was aan series. Haar favoriete soaps zijn nog altijd *THE YOUNG & THE RESTLESS, DAYS OF OUR LIVES* en *ANOTHER WORLD*. Toen Colleen terugging naar Crystal Lake om haar ouders op te zoeken, werd ze door een producer van de serie gebeld en werd haar verteld dat ze met Evie een andere kant op wilden en men dus een ander voor de rol wilde – na een jaar stond Colleen weer op straat.

Maar krap twee weken later stond Colleen alweer voor de camera's als Cecilia Sowolsky in de soap *LOVING*. Achttien maanden later werden tien vaste spelers ontslagen, onder wie Luke Perry (*BEVERLY HILLS 90210*). En ook zij kreeg haar congé: 'Om redenen van de verhaallijn wordt jouw personage eruit geschreven,' zo werd haar gemeld.

Trouwen in een opwelling
Nadat *LOVING* afliep verhuisde Colleen van New York naar Los Angeles en kreeg ze gastrollen in SANTA BARBARA, DIVORCE COURT en EQUAL JUSTICE. Maar de rollen waren dun gezaaid en brachten nauwelijks geld in het laatje. Op een dag zag Colleen tijdens één van de vele audities die ze deed, op een mededelingenbord een advertentie voor een baan bij een makelaar. Toen Colleen reageerde op de advertentie ontmoette ze Steve Jensen, die appartementen verhuurde voor de makelaar.

Steve was onder de indruk van de actrice en vroeg haar dezelfde dag nog mee uit en binnen een week trok ze bij hem in. Nadien legde Colleen uit dat het wellicht hun verschillen en niet hun overeenkomsten waren die hen zo snel en heftig samenbrachten. 'Hij is hyper, zeer gedreven en kan geen minuut stilzitten,' vertelt ze. 'Hij is een typische gekke joodse jongen, heel intelligent en neurotisch. Ik ben een aardig katholiek meisje. Steve komt uit een gebroken gezin, terwijl mijn ouders nog steeds getrouwd en heel stabiel zijn. Het is verbluffend dat het ooit goed is gegaan.'

Maar dat deed het en binnen enkele weken wist het paar dat ze wilden trouwen. Hun verschil in religieuze overtuiging veroorzaakte evenwel moeilijkheden bij het plannen van de plechtigheid. Colleen wilde zowel een priester als een rabbi erbij, een gecompliceerde aangelegenheid. Uiteindelijk stelde ze een haasthuwelijk in Las Vegas voor, maar ze bleven ruziën over het plan. Uiteindelijk werd ze zo kwaad op Steve dat ze schreeuwde: 'Godverdomme, beslis nu eens, Steven! Wil je naar Las Vegas gaan of niet?'

Discussie na discussie vond plaats en eindelijk sprongen Steve en Colleen op 22 augustus 1988 in de auto en reden naar Los Angeles International Airport. Ze besloten dat ze hun actieplan zouden kiezen als ze eenmaal op het parkeerterrein waren. Terwijl ze de vliegtuigen zagen opstijgen en landen, stelde Colleen het ultimatum: 'Vlieg naar Las Vegas en trouw met me of de verloving is verbroken.' De twee vlogen naar Vegas en huurden bij aankomst een limousine. De chauffeur reed ze naar de Chapel of the Stars die 24 uur per dag open is. De bruid droeg een zwart broekpak en de bruidegom een spijkerbroek. Ze hadden niet eens trouwringen, maar dat zou later komen. Slechts vijf weken nadat het paar elkaar ontmoet had, werd het huwelijk voltrokken. Steve probeerde de snelle plechtigheid goed te maken door zijn kersverse bruid mee te nemen op huwelijksreis naar Mazatlan, Mexico. Dat was echter geen succes. 'Ik herinner me het niet eens, zo ziek was ik. Ik ijlde. Het was afschuwelijk, gewoon afschuwelijk,' zou ze er later over zeggen. Een tweede, succesvollere reis volgde twee jaar later toen ze naar de Maagdeneilanden gingen. Colleen vertelt over fabelachtige ervaringen op de eilanden St. Maarten en St. Bart waar het paar snorkelde, jetskiede, gokte en naakt rondvoer op een gehuurde boot. 'Het is de mooiste plek waar ik ooit in m'n leven geweest ben.'

De romantische tweede huwelijksreis buiten beschouwing gelaten, was het huwelijksleven van Colleen en Steve, zoals ze zelf toegeven, een verbintenis waar ze allebei heel hard aan hebben moeten werken om die in stand te houden. Ze leden van meet af aan onder het feit dat ze elkaar nauwelijks kenden. 'We zaten op zulke verschillende golflengten,' vertelt ze. 'Eerst was ik het probleem. Ik vertelde hem niet hoe ik me voelde. Hij was altijd erg open en eerlijk geweest over z'n gevoelens. Ik niet. Maar we hebben het tot dusverre gered met onze relatie. We communiceren beter en we laten het nooit meer uit de hand lopen.'

Toen ze getrouwd waren en Colleen werk kreeg bij *B & B* zei Steve zijn makelaarsbaan op en was hij een jaar werkloos, terwijl hij probeerde zijn volgende carrièrestap uit te knobbelen. Colleen geeft toe dat haar weerzin in die periode groeide: 'Hij was jaloers op mijn werk en ik werd kwaad, omdat ik werkte en hij niet. Hij kon lekker gaan hardlopen, terwijl ik moest werken.' Steve nam een baan aan als assistent bij een publiciteitsbedrijf dat de p.r. behartigde voor de Academy of Television Arts and Sciences (Emmy Awards). Hij bleef er maar kort, want al snel vestigde hij zich als zelfstandig public-relationsbureau. Zijn eerste cliënt was natuurlijk zijn vrouw en een tijdje verzorgde hij ook de publiciteit voor een aantal andere acteurs bij *B & B*.

Problemen in en buiten beeld

Terwijl hun huwelijk al onstuimig was, werd het in 1992 almaar slechter. Hun huwelijkszorgen vielen samen met de komst van Michael Watson als Zach bij de soap. Dit had de mooiste tijd voor de actrice moeten zijn, want Zachs komst betekende een flinke nieuwe verhaallijn voor Felicia, iets wat ze sinds het personage Jake uit de serie was geschreven, een jaar daarvoor, niet meer had gehad. Maar in plaats daarvan werd Michael Watsons entree een nachtmerrie. De excentrieke, getrouwde Watson stond bekend als een flirt en al gauw gingen er geruchten in de roddelpers dat de twee een verhouding hadden. De verhalen werden geloofwaardig toen Colleen publiekelijk aankondigde dat zij en Steve in scheiding lagen.

Ondanks de geruchten en de negatieve publiciteit gingen de schrijvers verder met het creëren van een heftige romance tussen de twee personages. Maar toen Colleen voor een paar dagen naar Italië ging voor een publiciteitsreis stond thuis de boel op z'n kop: de actrice meldde zich namelijk ziek en ze deelde de producers in de States mee dat ze wegens ziekenhuisopname een paar dagen te laat terug zou zijn op de set. Intussen vloog Steve naar Italië om bij haar te zijn. Dat laatste bracht de geruchtenstroom pas goed op gang: de producers van *B & B* waren uiteraard niet gelukkig met haar afwezigheid en het ongemak dat zij veroorzaakte, maar er werd bovendien verteld dat de producers haar verhaal over de ziekte niet geloofden. Schandaalbladen meldden dat Colleen in Italië bleef in een poging haar huwelijk met Steve te redden, hetgeen door Colleen overigens altijd werd ontkend.

Wat de waarheid ook was, toen Colleen terugkwam uit Italië, weer samen met haar man, kreeg ze de bons. *B & B* breide snel een eind aan haar verhaallijn, hetgeen tevens een mooi excuus was om ook Watson te lozen. Zach en Felicia gingen samen de stad uit... Voor Colleen bestond er echter altijd de mogelijkheid dat zij van tijd tot tijd weer in de serie opdook – uiteindelijk was en bleef Felicia een Forrester-dochter die weleens bij haar ouders op bezoek ging. Echter, op haar laatste filmdag nam Colleen wraak op de producers die haar zo bot hadden gedumpt: ze tekende snel een contract bij haar favoriete soap, *ANOTHER WORLD*. Binnen enkele dagen verhuisden Colleen en Steve naar New York City waar ze aan haar vierde soap zou beginnen, een baan waarover ze opgewonden zei: 'Ik heb binnen een uur promotie gemaakt.'

Statistische gegevens
Geboren: 26 december 1964 in Newburgh, New York
Burgerlijke staat: getrouwd met publicist Steve Jensen op 22 augustus 1988
Hobby's: koeiespullen verzamelen, schaatsen en rolschaatsen, paardrijden, koken, bakken en handenarbeid
Dagdrama's: SEARCH FOR TOMORROW, Evie Stone 1985-1986; LOVING, Cecilia Sowolsky 1986-1987; THE BOLD AND THE BEAUTIFUL, Felicia Forrester 1989-1992; ANOTHER WORLD, Brett Gardner 1992-?

Bobbie Eakes
(Macy Alexander Forrester)

Macy Alexander is het toonbeeld van verfijning, klasse en, ja, naïviteit. Met andere woorden, ze is precies het tegenovergestelde van haar moeder, de extravagante Sally Spectra. Maar Macy deed wat haar moeder nooit zou kunnen doen: ze overbrugde de kloof tussen de Forresters en de Spectra's door haar huwelijk met Thorne – een verbintenis die door beide families fel werd bestreden. Hun Romeo-en-Juliaromance weerstond de druk van de schoonfamilies enige tijd, maar de tekenen van verval lieten niet lang op zich wachten: Macy kreeg belangstelling voor Jake en Thorne voelde zich aangetrokken tot Karen, de tweelingzus van zijn ex-vrouw.

Een tiener-schoonheidskoningin

Bobbie is de jongste van vijf dochters van een luchtmachtgezin. Ze groeide op even buiten Macon, Georgia, in het stadje Warner Robins, genoemd naar de beroemde luchtmachtgeneraal. Bobbies familie woont er nog steeds – haar vader is gepensioneerd en leidt de onofficiële officiersclub.

Bobbie bracht haar kinderjaren door als lid van de familiezanggroep The Eakes Girls, die door heel Georgia optrad. Hun zangcarrière kende echter een zeer bescheiden start: 'We vroegen de buren een stuiver om onze showtjes, die we in de achtertuin opvoerden, te komen zien,' vertelt ze. 'We deden sketches en parodieën en zongen liedjes. Grappig, want onze ouders zijn niet muzikaal. Mijn zus Sharon was echt een geweldige aanvoerster. Zij organiseerde al die dingen.'

De zussen deden doorgaans alles samen, óók toen ze het schoonheidswedstrijdencircuit instapten. Drie van de meisjes werden successievelijk Miss Warner Robins. 'Het was gewoon iets wat we allemaal deden. We hebben door die verkiezingen een aardig bedragje aan studiegeld bijeengebracht; dat ontlastte mijn ouders enorm,' legt Bobbie uit.

Toen Bobbie eenmaal in het wedstrijdcircuit zat, kon ze er niet meer uitkomen. Na Miss Warner Robins veroverde ze de titel Miss Georgia Teen. In de landelijke wedstrijd werd ze tweede, maar ze eindigde als eerste in de talentenjacht. Terwijl ze studente was aan de University of Georgia won ze de kroon van de school en werd vervolgens Miss Georgia 1982. Die overwinning betekende dat ze kans had op de Miss Amerika-titel. De wedstrijd in Atlantic City is nog steeds een van haar plezierigste ervaringen. 'Het was een feest. Natuurlijk waren er wel momenten dat ik het gevoel had dat mensen moeilijk deden. Van die types die dan vroegen: 'Voel je je wel goed, je ziet wat pips.' Of van die mensen die het heel serieus namen en de hele dag met bloedernstige gezichten rondliepen. Om je de waarheid te zeggen, ik dacht niet dat ik kans had om te winnen en ik weet trouwens ook niet of ik dat nou echt wilde. Ik wilde het gewoon naar m'n zin hebben en dat is me uitstekend gelukt!'

Op de avond van de wedstrijd wist Bobbie zeker dat ze niet zou winnen. In een prachtige avondjurk liep ze het plankier af en maakte haar draai – maar ze vergat te stoppen bij de microfoon en te zeggen: 'Hallo, ik ben Bobbie Eakes uit Warner Robins, Georgia!' Toen ze het publiek in keek, zag ze dat haar familie met grafgezichten zat en vanaf dat moment zette ze het winnen definitief uit haar hoofd. Dus toen haar naam werd afgeroepen als een van de tien finalisten, was ze stomverbaasd. Bobbie ging die avond inderdaad niet met de tiara naar huis, maar ze won wel een studiebeurs omdat ze finaliste was en ze noemt de wedstrijd 'een grote leerervaring'.

Leven na de Miss Amerika-verkiezing

Na twee studiejaren op de University of Georgia vond Bobbie het tijd om naar Hollywood te verhuizen. 'Toen ik de beslissing nam daarheen te verhuizen, dacht ik dat ik een felle discussie met mijn ouders zou krijgen, maar ze stonden echt achter me,' vertelt ze. 'Ze gaven me veel zelfvertrouwen.' Bobbies toenmalige vriend en haar moeder reden met haar mee om er zeker van te zijn dat ze veilig in Los Angeles zou aankomen. 'Ik en mijn moeder en Richard Vazini. Hij reed me erheen om afscheid te nemen en me geluk te wensen.' Hun relatie kwam tot een einde, maar zijn gelukwens leek te werken.

In L.A. zong Bobbie in koortjes en ze bereidde zich juist voor op een tournee met een van die koren toen zich de kans van haar leven voordeed: haar zangtalent en haar schoonheid waren opgemerkt door t.v.-directeur en producer Fred Silverman. Tijdens een auditie waarbij maar liefst vijfhonderd zangeressen hun opwachting maakten, koos Silverman Bobbie voor Big Trouble, een zanggroep bestaande uit vier meisjes. En hij had *grote* plannen voor de groep. Ze zouden beginnen met een c.d. en dan, hoopte Silverman, beroemd worden in een succesvolle t.v.-serie à la *THE MONKEES*.

Om te beginnen speelde de groep als huisorkest in de comedy-serie *COMEDY BREAK*. Bobbie was de lead-zangeres, maar de producer van de serie zette haar ook al gauw in in komische sketches. 'Zo heb ik de smaak van het acteren te pakken gekregen,' zegt ze. 'Daarna stuurde mijn agent me naar audities voor gastrollen en de eerste paar waar ik op af ging, kreeg ik. Het veroorzaakte een sneeuwbaleffect.' Ze deed afleveringen van *MATLOCK, WONDER YEARS, FALCON CREST, 21 JUMP STREET* en een hilarisch optreden in *CHEERS*, waar ze achter de bar belandde en een stomp in haar gezicht kreeg van Rebecca.

Met Big Trouble nam Bobbie een c.d. op voor het label Epic Records. De band deed twee Europese tournees, waaronder een optreden op het Montreux Pop Festival in Zwitserland. Maar daarna ging het bergafwaarts. Silverman wilde de meisjes gebruiken in een CBS-variétéshow, maar de band, tevreden met zijn muziek, wilde een nieuwe plaat opnemen en blijven toeren. 'Helaas had Fred ons samengebracht en was hij de eigenaar van de band, dus werd het vrij gecompliceerd,' zegt ze. 'Uiteindelijk gebeurde er helemaal niets en losten de band en de samenwerking gewoon vanzelf op.'

Macy is geboren

In 1989 was de band definitief passé en zat Bobbie zonder werk. 'Ik had mijn zangcarrière honderd procent gegeven, maar toen de band uit elkaar viel, had ik veel tijd en moest ik de huur betalen,' legt ze uit. Bobbies agent regelde een leesauditie voor een rol in *B & B* - de eerste soap-auditie die ze ooit deed, en toen ze naar buiten stapte, had ze een contract voor vier jaar in haar zak!

De Macy die we tegenwoordig zien is een lievere en zachtere Macy dan ze in het begin was. Bobbie bewaarde haar eerste script als souvenir, dus ze kan precies laten zien wat de verschillen zijn. 'Macy was in het begin heel anders. Ze werd omschreven als een hardcore snob: kostscholen in Europa; een hi-tech en glad ingericht appartement als afspiegeling van zichzelf; een harde tante,' herinnert Bobbie zich. 'Ik denk dat ik het personage wat heb opgewarmd, waardoor ze zachter en vriendelijker is geworden - meer een tegenpool van haar moeder.' Terwijl Bobbie het fijn vindt dat Macy tegenwoordig een veel aardiger mens is, geniet ze van de manier waarop haar t.v.-moeder gestalte krijgt. 'Ik houd van de manier waarop Darlene (Sally) het doet. Ze is hard, maar heeft ook een klein hartje en dat zou ik ook willen. Ik ben er klaar voor mijn harde kant te laten zien.'

Aangezien Bobbie ook een zangtalent is, duurde het niet lang voordat de producers van de serie dat talent benutten. Collega Jeff Trachta (Thorne) deed het voorstel en niet lang daarna zongen Thorne en Macy hun eerste duet tijdens een modeshow voor een goed doel. De acteurs genoten van de ervaring en de fans riepen om meer. 'De eerste echt fantastische herinnering die ik aan de serie heb is het moment dat Jeff Trachta en ik samenkwamen. We hadden nog nooit samen gezongen en het komt zelden voor dat het echt klikt tussen twee acteurs. En als je dan ook nog twee acteurs wil vinden wier stemmen harmoniëren en goed samengaan, dan zoek je naar een speld in een hooiberg. Wij zijn die speld, verbluffend genoeg. We voelden ons er zo goed over! Bovendien vormt het de basis van onze hechte vriendschap, een vriendschap die we allebei echt koesteren.' De twee zingen nog steeds romantische duetten in de serie en bij gelegenheid treedt Bobbie ook wel op als solozangeres in *B & B*'s Bikini Bar.

Inmiddels zijn de twee acteurs zulke lievelingen van de fans geworden dat ze met hun act gingen toeren. Ze traden op in nachtclubs in Las Vegas en Toronto en in de musical *Assepoester*. Maar daar bleef het niet bij, want ook in Europa trekt het duo volle zalen. Begin 1994 namen de twee hun liedjes uit de serie op en dat resulteerde in de c.d. *Bold and Beautiful Duets*, een album dat als een komeet omhoogschoot in de hitlijsten en dat al snel platina werd in Nederland, Denemarken, België en Zweden. Bovendien heeft Bobbie het plan opgevat om haar eerste solo-c.d. uit te brengen.

Ondanks haar succes als zangeres is de actrice nog steeds gelukkig met haar rol in de soap: 'Ik vind het heel bevredigend dat ik beide dingen kan doen. Acteren en zingen zijn twee totaal verschillende werelden voor mij: ze geven ieder een compleet ander gevoel. Ik moet bekennen dat ik van acteren niet vaak dezelfde voldoening krijg als van zingen,' zegt ze. 'Acteren is *werk*. Soms krijg ik onder het zingen het gevoel dat ik niks fout kan doen en op zo'n moment valt alles op z'n plaats. Puur genieten, dus. Een van mijn doelen is om het acteren ook zo onder de knie te krijgen dat ik er net zo van kan genieten, dat ik een volledige verbondenheid voel met de rol die ik speel.'

Tijdens een van haar vele reizen naar Italië, waar ze vaak optreedt en een veel gevraagde gaste is in het talkshowcircuit, zat de actrice tien uur lang vast in Milaan vanwege een staking bij de luchtvaartmaatschappij. Ze werd toen gezelschap gehouden door een andere actrice, filmster Bo Derek, die ook op haar vlucht zat te wachten. 'Zij vertelde me dat als je tijdig thuis wilt komen, je op zondag moet reizen, omdat ze op zondag meestal niet staken. We praatten veel en ze vroeg me van alles over t.v.-werk. Je kunt t.v. tegenwoordig niet meer afslaan, het is vast werk. Ze zei dat ze belangstelling had en ik zei haar dat ze de producers moest bellen... ze zou perfect passen in onze serie.' Bo Derek moet haar opwachting nog maken in *B & B*.

Liefde vinden bij David

Bobbie ontmoette de ambitieuze acteur/schrijver David Steen tijdens een acteercursus in 1986. In het begin had hij geen computer en Bobbie bood zich aan als vrijwilliger om zijn scripts voor hem uit te typen. 'Tja, dat was toen we elkaar net kenden. Daar ben ik overheen. Nu heeft hij een computer, god zij dank,' grapt ze.

De twee hadden enkele jaren een 'knipperlicht'-relatie. Tijdens een van de 'aan'-perioden legde Bobbie beslag op een buste van Michelangelo's David. 'Ik kocht hem in een winkel in Atlanta, een dure aankoop, maar dat had ik er wel voor over omdat ik vond dat hij echt op 'mijn' David leek,' zegt ze. Maar nog voor het beeld werd bezorgd maakte David het weer uit met Bobbie. 'Ik heb het bijna kapot geslagen,' bekent ze. De buste ging de kast in, maar werd weer te voorschijn gehaald toen David vanaf een filmset opbelde waar hij als hoofdrolspeler de opnamen van de film *Of Mice and Men* deed. Ze maakten het weer goed via de telefoon.

Bobbie trad in het huwelijk met David op Onafhankelijkheidsdag, 4 juli 1992, in Warner Robins, Georgia. Ze was weg van de roomwitte jurk die Macy droeg bij haar huwelijk met Thorne, dus vroeg ze de kostuumafdeling van *B & B* om een kopie in zuiver wit te maken.

Vanwege haar zware opnameschema kon Bobbie maar een week vrij krijgen van haar werk, dus het duo vertrok meteen na de plechtigheid naar Bermuda.

Ze vonden rust en privacy in Cambridge Beaches, een vakantieoord waarvan Bobbie zegt dat het gezelliger is en meer privé dan de vele grote hotels die het eiland telt. Het park heeft privé-bungalows, een eigen, afgeschermd strand en een wereldwijd vermaarde chefkok in de keuken. 'Het was heel privé en schattig en romantisch en rustig.' Maar ze voegt er ook aan toe: 'We hebben ons niet de hele week alleen maar op onze kamer opgesloten.' Bobbie en David zagen veel van het eiland. Ze genoten van de kleurenpracht van de tropische vissen tijdens het snorkelen en ze zagen het eiland van bovenaf tijdens een parasail voor twee. 'Het was echt het meest romantische dat we ooit gedaan hebben. We namen onze snorkelspullen en een lunch die de chefkok voor ons had klaargemaakt mee en we brachten de dag door met bezoeken aan drie verschillende eilandjes, we lagen in de zon en genoten van onze picknick.'

Weer thuis vestigde het paar zich in een luxe appartement in de San Fernando Vallei samen met Bobbies cocker-spaniël, Katty, en hun kat, Elvis, die ze cadeau kregen van Jeff Trachta. Al gauw groeide het viertal uit het appartement en verhuisden ze naar een droomhuis in de heuvels even buiten Los Angeles. 'Het voelt eindelijk als thuis. Ik voel me hier veilig. We kunnen hier buiten lopen zonder ons zorgen te hoeven maken over overvallers.' Toch is Bobbie misschien te optimistisch over haar nieuwe thuis, want al zijn er dan geen overvallers, het blijft toch oppassen voor coyotes en poema's!

Nu, na twee jaar huwelijk, heeft Bobbie niet het idee dat het huwelijksleven haar heeft veranderd. 'Iedereen zei me dat ik me anders zou voelen, maar dat is niet zo. Ik voel me hetzelfde. David is een uniek mens. Hij stelt niet te veel eisen aan me en steunt me altijd. Ik denk dat als hij me wilde veranderen en me in de rol van perfecte echtgenote of moeder zou willen dwingen, ik me misschien anders zou voelen. Maar we zijn dezelfde mensen die we voor ons trouwen waren, dus dat is fantastisch. Getrouwd zijn heeft onze relatie niet veranderd. Ik vind het prettig hem om me heen te hebben. Ik denk dat ik van hem houd.'

Statistische gegevens

Geboren: 25 juli in Warner Robins, Georgia

Burgerlijke staat: getrouwd met schrijver David Steen op 4 juli 1992

Opleiding: University of Georgia

Hobby's: zingen, koken, huis inrichten

Onderscheidingen: Miss Georgia Teen 1979; Miss University of Georgia; Miss Georgia 1982; een van de tien finalisten bij de Miss Amerika-verkiezing 1983

Dagdrama's: THE BOLD AND THE BEAUTIFUL, Macy Alexander Forrester, 1989-?

BIJROLLEN

Jeff Conaway
(Mick Savage)

Jeff Conaway is het bekendst van zijn rol in de t.v.-komedie *TAXI*. Hij speelde ook Kenecke in de speelfilm *Grease*, een rol die hij twee jaar op Broadway speelde. *THE BOLD AND THE BEAUTFUL* is de eerste soap-opera waarin deze acteur speelt.

Jeff werd geboren in New York en maakte zijn showbusiness-debuut op de prille leeftijd van tien jaar in het Broadway-stuk *All the Way Home*. Hij had zich niet in beter gezelschap kunnen bevinden: veteranen als Lillian Gish en Colleen Dewhurst schitterden ook in het stuk. Omdat hij acteren wilde studeren, ging Jeff een jaar naar de North Carolina School of the Arts en daarna volgde een inschrijving bij de film- en theateropleiding aan de New York University. In zijn laatste jaar daar kreeg hij een van de hoofdrollen in *Grease* op Broadway en vanaf dat moment kwam zijn carrière in een stroomversnelling. Zo kreeg hij rollen in *I Never Promised You a Rose Garden, Ghost Writer, Elvira, The Patriot, Cover Girl, The Eagle Has Landed, Pete's Dragon* en *Jennifer on My Mind*.

Jeff is vrijgezel en verdeelt zijn tijd over zijn huizen in Palm Springs, Californië en Los Angeles. Naast acteur is hij een begaafd muzikant, tekstdichter en componist. Jeff is in aanmerkelijk rustiger vaarwater gekomen na een aanvaring met justitie, die breed werd uitgemeten in de pers. Hij speelde ook gastrollen in series als *MURDER SHE WROTE, MATLOCK, STINGRA* en *HOTEL* voor hij de baan bij *B & B* aannam.

Todd McKee
(Jake Maclaine)

Todd McKee is opgegroeid in Zuidelijk Californië en maakte zijn acteerdebuut in 1984 in de eerste aflevering van de soap *SANTA BARBARA*. De uitbundige serie maakte van Todd over de hele wereld een bekend gezicht. De acteur speelde de rol vijf jaar, vertrok samen met Lane Davies, die zo populair was als Mason. Samen namen Todd en Lane een vakantie van de showbusiness en reisden ze de wereld rond; ze bezochten onder andere Griekenland, Kenia en Thailand.

Toen Todd naar Amerika terugkeerde, kreeg hij de rol van Jake bij *B & B*. Zijn verhaallijn duurde echter nog geen twee jaar en het personage Jake werd uitgeschreven.

Vanwege zijn populariteit in Europa brengt Todd daar meer tijd door dan in zijn huis in Los Angeles. Hij doet in Europa veel talkshow-optredens en hij geniet oprecht van zijn populariteit. In Californië vervolgt Todd zijn acteeropleiding en tracht hij zijn komedie- en improvisatievaardigheden te verbeteren.

Brian Patrick Clarke
(Storm Logan)

Brian Patrick Clarke is de tweede van vijf kinderen uit een gezin dat hij 'traditioneel Iers' noemt. 'We hadden de typische kenmerken van ontsporing die bij een Iers gezin horen,' vertelde hij ooit aan een interviewer. 'Mijn ouders hadden allebei alcolholisten als ouders en hun verging het al niet veel beter.' Brian vertelt dat hij zelf op z'n dertiende zijn eerste borrel nam. Samen met een vriend dronk hij in 45 minuten een hele fles whisky leeg. Hij werd zo ziek dat hij tot vandaag de dag de lucht van whisky niet kan verdragen. 'Ik had geluk dat ik niet het alcoholisten-gen had; ik zou doodgaan aan de ziekte,' constateert hij.

Brian ging naar Yale en speelde American football voor de school in 1970 – hij heeft nog steeds het record voor de meeste veldgoals per wedstrijd. Na zijn studie streefde Brian echter zonder succes een carrière als prof-footballspeler na en toen hem duidelijk werd dat er met die sport voor hem geen geld viel te verdienen, vertrok hij richting Los Angeles om het acteren te proberen.

Hij heeft in vele televisie-projecten gespeeld, waaronder in *The Grace Kelly Story, Eleanor and Franklin* en *DELTA HOUSE*. In Amerika is hij waarschijnlijk het bekendst door zijn rol in de successerie *EIGHT IS ENOUGH* waarin hij de beroepshonkbalpitcher Merle 'The Pearl' Stockwell gestalte gaf.

Brian is gescheiden en heeft een tienerzoon, Cary Ryan Clarke. Hij is nog altijd sportief; hij springt elke avond 4.500 keer touwtje om in vorm te blijven. Zijn persoonlijk record staat op 15.000 sprongen zonder onderbreking. Hij houdt ook van hardlopen en hij wint al jaren de Los Angeles Marathon in de categorie beroemdheden.

De acteur bekeerde zich tot dagtelevisie toen de prime-time aanbiedingen minder werden en hij verscheen drie jaar lang in *GENERAL HOSPITAL* in de dubbelrol van Grant Andrews en Grant Putnam. Toen blies hij het personage van de advocaat Storm Logan in *B & B* nieuw leven in (eerder vertolkt door Ethan Wayne). Maar toen duidelijk was dat Taylor en Ridge voor elkaar bestemd waren, werd Storm uit de serie geschreven en werd Brian ontslagen.

DE MODE VAN B & B

THE BOLD AND THE BEAUTIFUL heeft meer te bieden dan alleen romantiek en ruzie. In feite is iedereen het erover eens dat de soap zo populair is vanwege het kijkje achter de schermen bij de mode-industrie en de producers spelen nu ook handig in op de populariteit van topmodellen. In het achtste jaar van de soap wordt het model Ivana geïntroduceerd, een model dat een vaste rol heeft in de serie. De rol van Ivana wordt gespeeld door het echte model Monika Schnarre.

De eerste aflevering van *B & B* opende met een modeshow waarin de herfstontwerpen van Forrester Designs schitterden. De Forresters hebben altijd voor haute couture gestaan, dure gewaden voor de vrouw die zich onderscheidt. Spectra Fashions symboliseert daarentegen de mindere, goedkopere ontwerpen. Of het de klasse van Forrester is of de kitsch van Spectra, alle stijlen die twee keer per jaar over het plankier lopen worden ontworpen door één vrouw, kostuumontwerpster Sandra Bojin-Sedlik.

Hun alledaagse kloffie

Het grootste deel van het jaar moet Sandra voor haar werk winkelen bij de betere warenhuizen om ontwerperskleding te vinden voor de personages in de serie. Alle personages hebben een omvangrijke garderobe, maar Stephanie Forrester is veruit de grootste modepop.

Het feit dat de show gesitueerd is in Los Angeles speelt mee in wat Sandra voor de acteurs uitkiest, daar temperatuur en seizoenen in L.A. nauwelijks verschillen. 'Ik ben weg van de laagjes-look voor de winter,' bekent ze, 'maar dat kun je in L.A. eigenlijk helemaal niet dragen. Meestal ga ik tegen eind september of oktober op de zomertoer. Daarna dan begin ik wat herfstdingen te doen en dan moet ik alweer kleding gaan zoeken voor het warme weer.'

Dankzij de warme locatie is elk excuus goed genoeg om een personage *uit* de kleren te laten gaan, bijvoorbeeld bij het Forrester-zwembad of in de Bikini Bar op het strand. Ridge in een Speedo-short is gedurende die acht jaar een bekende verschijning geworden – en gelukkig heeft Ronn Moss (Ridge) z'n figuur behouden. Ridge heeft een grote collectie zwembroeken die hij in de loop der jaren heeft gedragen en Sandra zegt dat elke kleur hem goed staat, 'maar ik vind dat zwart hem het best staat.' Toen Taylor een Hawaïaans feest gaf, moest er een bikini met Hawaïaanse opdruk komen. Sandra, die erom bekend staat dat ze wonderen verricht, had enige moeite met dat verzoek. 'Als je iets speciaals zoekt, kun je het niet vinden,' constateert ze. In plaats daarvan kocht ze een lycra stof met bloemenopdruk en liet haar kostuumafdeling het pak maken.

Naast het bepalen van de look voor een personage moet Sandra ook letten op veranderingen in persoonlijkheid en de garderobe daaraan aanpassen. Toen Karen van Texas naar L.A. verhuisde, was ze een cowgirl die zich transformeerde tot mondaine carrièrevrouw. Toen dat gebeurde, moest Sandra vermijden dat Karen een kloon van haar succesvolle tweelingzus Caroline werd. 'Caroline was de Grace Kelly-figuur – het toppunt van gratie en perfectie,' vertelt ze. 'Karen benadert haar manier van kleden op een eigentijdsere manier. Het is strakker.'

Wanneer een outfit eenmaal in de serie gedragen is, wordt die opgeslagen in een gigantische inloopkast boven de studio, op rekken van drie verdiepingen hoog. Als de kleren één keer zijn gedragen, worden ze gewassen of gestoomd om de make-up van de acteurs van kragen en mouwen te verwijderen. Dan worden ze gerangschikt op hangertjes met daaraan een label waarop de naam van de acteur saat. Bijpassende sokken worden ook aan de hanger vastgeprikt. De kleren worden bij de hand gehouden voor een volgende keer – als je goed oplet, zie je dat de acteurs een outfit geheel of gedeeltelijk nog eens dragen. 'Meestal herhaal ik een bepaalde outfit elke twee of drie maanden,' zegt Sandra. 'Zoveel t.v.-series zijn onrealistisch doordat iedereen elke dag van kleding verwisselt en men nooit twee keer hetzelfde draagt. In werkelijkheid gebeurt dat niet, mensen dragen kleren meer dan eens.'

Maar Sandra en haar spullen hebben geen onbeperkte ruimte. Na non-stop winkelen tijdens de eerste vijf jaar van de serie, moesten ze de opslagruimte leeghalen om plaats te maken voor nieuwe kleren. Bovendien was veel van de kleding gedateerd en uit de mode, dus er moest nodig vervanging komen.

Naast kleren moet Sandra ook voor alle accessoires en schoenen zorgen. 'En,' zo bekent ze, 'ik heb dus echt een zwak voor schoenen!' Het gevolg van die zwakte is dat elke acteur een enorme collectie schoenen bezit. 'Zelfs al zien we de schoenen bijna nooit in beeld, dan nog vind ik het absoluut noodzakelijk dat de schoenen passen bij de rest van de kleding.'

Als het op sieraden aankomt, heeft Sandra voor elk personage een bepaalde uitstraling voor ogen. Darla draagt bijvoorbeeld grote, kleurrijke plastic sieraden die relatief goedkoop zijn, maar die beslist ook een vrolijk karakter moeten weerspiegelen. Sally Spectra heeft uiteraard de meeste èn de grootste sieraden. Haar rivale, Stephanie Forrester, bezit de meest chique en de duurste juwelen. 'Ze heeft de meeste diamanten en zo,' zegt Sandra, 'maar het zijn allemaal nepjuwelen.' Desondanks kunnen nepjuwelen ook prijzig zijn. Toen Clarke Kristen een diamant gaf, was het een valse kanjer van 3.000 dollar. De serie heeft er evenwel nooit voor betaald: men huurde de steen voor slechts 60 dollar.

In januari 1991 kreeg Sandra een onderscheiding omdat ze Ridge en Eric zo perfect kleedde en daarmee werd de bijdrage van *B & B* aan de modewereld zelfs erkend door de prestigieuze Aldo Award van The Men's Fashion Association uit New York City.

De modeshows

De soap heeft meer dan een dozijn shows opgevoerd om de ontwerpen van Forrester en Spectra te laten schitteren. De shows op de catwalk zelf concurreren met die in modehoofdsteden als Parijs en Milaan. De serie gebruikt grote decors, mooie modellen – allen 1.78 meter en 50 kilo – hypermoderne belichting en knappe choreografieën om de illusie te creëren dat wat we zien een echte modeshow is met echte ontwerpen. Rondom het podium zwermen tientallen figuranten als modejournalisten en fotografen die het podium bestormen met klikkende camera's.

Voor deze speciale gelegenheden mag Sandra haar eigen ontwerpvaardigheden benutten om hippe, eigentijdse looks te creëren die internationaal aanspreken. In de beginjaren ging Sandra winkelen om aan de kleding voor de Forrester- en Spectra-gala's te komen, maar ze bedacht op den duur dat ze meer plezier zou hebben als ze haar eigen spullen zou tonen. 'Het was moeilijk winkelen, omdat ik items moest vinden die bij elkaar pasten en eruitzagen alsof ze van één ontwerper kwamen,' vertelt ze. 'Ik vind het veel gemakkelijker en stimulerender om de lijnen zelf te ontwerpen.'

Sandra begint haar ontwerpen met een heel ruwe schets. Dan huurt ze een tekenaar in die haar concept helemaal uitwerkt voordat ze patronen laat maken. 'Ik raak gefrustreerd omdat ik geen goede artiest ben. Ik heb de ideeën in m'n hoofd, maar ik vind het moeilijk ze aardig op papier te krijgen.' Sandra baseert haar collecties op de thema's van de modeshows en die thema's worden weer bedacht door de schrijvers van de soap. Soms krijgt ze maar een paar weken om haar ontwerpen te ontwikkelen en dan is het werkelijk stressen om alles – de stof kiezen, het patroon laten snijden, de kleding in elkaar zetten en passen – op tijd af te krijgen.

Voor de lentemodeshow die werd verstoord door een heftige confrontatie tussen Lauren en Sheila, kreeg de collectie – oh ironie! – een internationaal wereldvredesthema mee. Dat thema was speciaal gecreëerd in de hoop dat het *B & B*-kijkers over de hele wereld zou aanspreken. Tegen de achtergrond van dia's van Egypte, Griekenland, Italië en de woestijn liet Sandra drie van haar lijnen zien: een collectie taftzijde japonnen met Spaans aandoende witte, decoratieve ruches; een 'zeemanslijn' geheel geïnspireerd door de marine; en een serie japonnen geïnspireerd door de 17de eeuw met nauwsluitende lijfjes en lange rokken met petticoats. 'Dat is mijn favoriete periode,' bekent de ontwerpster, 'en ik haal veel van mijn inspiratie uit zowel de kostuumgeschiedenis als uit de hedendaagse mode.' De knaller van de show is traditiegetrouw een trouwjapon en voor deze show creëerde Sandra een onconventioneel ontwerp waarvoor ze zich liet inspireren door paardrijkleding. Het eindresultaat was een wel heel bijzondere trouwjapon, compleet met hoge hoed en rijzweepje. Sheila droeg de japon op het plankier, althans, tot Lauren haar aartsrivale te pakken kreeg.

Sandra volgt uiteraard de ontwikkelingen in de mode op de voet maar ze zal nooit de echte ontwerpers imiteren. In feite creëert ze haar eigen kledinglijn soms maanden vóór de feitelijke ontwerpen van het seizoen op de catwalks worden getoond en dat maakt haar taak er natuurlijk niet makkelijker op. 'Ik zou willen dat ik een kristallen bol had, zodat ik kon zien wat er gaat gebeuren,' verzucht ze. 'Gelukkig wordt er niet van mij verwacht dat ik hier echt trends veroorzaak – het gaat er vooral om dat ik iets opvallends toon dat echt indruk maakt op het publiek.' Toch doken Sandra's marine-ontwerpen al gauw op in de winkels nadat ze in de soap in première waren gegaan. 'Het is altijd leuk als dat gebeurt en wij kunnen zeggen: "Oh, dat hebben wij gedaan,"' zegt ze. 'Maar ik denk nooit: "Ik moet proberen de trend voor te zijn." Ik doe gewoon wat in m'n hoofd zit en het is heerlijk dat ik de kans krijg dat te doen.'

Sommige van haar andere modeshowcreaties doen denken aan de retro-looks van de jaren '60 en '70 en ook de Shirley MacLaine-musical *Sweet Charity* uit 1969 vormde een rijke bron van inspiratie. Door die film ontwierp ze twee mini-jurken met zwarte motieven, twee lange kanten jurken met veren jassen en een fluwelen bell-bottom outfit en brassière met pailletten, compleet met schoenen met plateauzolen. De modellen droegen allemaal felgekleurde hoeden met veren, gemaakt van geverfde kippeveren. 'Ik ben gewoon dol op veren,' bekent ze, 'omdat ze bewegen en een element van opwinding toevoegen.'

In 1993 introduceerden de Forresters voor het eerst een mannen-modelijn. Sandra had geen tijd om de outfits van de mannen te ontwerpen en daarom gebruikte ze een lijn ontworpen door Cu voor het label Directions. Deze elfde show was de meest omvangrijke ooit uitgevoerd door de soap. Het thema was een benefiet voor het American Film Institute, waarbij het decor was ontworpen in de stijl van het oude Hollywood; terwijl de modellen het plankier afliepen, waren op de achtergrond filmfoto's te zien uit *My Fair Lady, Guys And Dolls, Casablanca* en *Gone With The Wind*. Vele echte beroemdheden namen deel aan de show, onder wie Charlton Heston, Carol Channing, Steve Allen en Jayne Meadows, die het tot een extra bijzondere gebeurtenis maakten voor *B & B*.

Sandra's lentelook voor deze show omvatte korte ballonrokjes en strakke bell-bottoms voor de Forresters. Maar ook Sally Spectra drong binnen en stuurde haar eigen ontwerpen het plankier op, dus er moesten ook Spectra-ontwerpen worden gemaakt. De Spectra-stijl was een metallic look met gladde, glimmende stoffen die herinnerden aan de gouden tijd van Hollywood. Sandra vindt ontwerpen voor beide modehuizen leuk, maar haar voorkeur gaat uit naar de meer humoristische Spectra-ontwerpen. 'Spectra is meestal veel gedurfder, meer avant-garde, wat sexier,' zegt ze.

Tot dusver won Sandra drie maal de prestigieuze Emmy Award voor het beste kostuumontwerp. Haar creaties kregen altijd lovende kritieken en veel mensen hebben haar al gevraagd of haar ontwerpen ook te koop zijn. Haar ontwerpen zijn niet te koop en Sandra is ook niet van plan om haar eigen commerciële lijn te ontwerpen: 'Ik vind kostuums doen echt leuk. Dit is het beste van alle werelden, want ik mag mede vorm geven aan een personage èn een modelijn neerzetten. Trouwens, de mode-industrie kan vrij moordend zijn.'

10. Schae Harrison (Darla) en Bobbie Eakes (Macy) ondergaan tijdens de serie een ware metamorfose...

Op de vorige pagina:
9. Het huwelijk van Bill Spencer (Jim Storm) en Margo (Lauren Koslow) loopt op de klippen. Bill zoekt troost bij... Darla!

11. Groepsportret ter ere van het vijfjarig bestaan van B & B.
Geheel rechts Joanna Johnson, die haar rentree in de serie maakt als Carolines
doodgewaande tweelingzuster Karen.

12a. In de kledingopslag bevinden zich de dozen met 'juwelen' – keurig voorzien van de naam van de draagster.

12b. Sandra Bojin-Sedlik is verantwoordelijk voor de couture: zij ontwerpt vrijwel alle kledingstukken voor de shows. Deze creatie is ongetwijfeld bedoeld voor Spectra Fashions.

15. Kimberlin Brown (hier met dochter Alexes) speelt in het zesde jaar van B & B de rol van Sheila Carter, een intrigante die alles op alles zet om Eric voor zich te winnen.

Op de vorige pagina's
Links:

13. Brent Jasmer zal in de rol van Sly een heftige strijd voeren met Keith (Ken LaRon) – beide heren vallen namelijk voor Macy.

rechts:

14. Connor Davis (Scott Thompson Baker) wordt verliefd op Brooke, maar Brooke kan Ridge maar niet vergeten...

16. Bij het vijfjarig bestaan van B & B kwam de hele crew bijeen voor taart.
In het midden het echtpaar Bell, geflankeerd door
Susan Flannery (Stephanie) en Bobbie Eakes (Macy).

JAAR VIJF

'Als je oorlog wilt, Stephanie, dan zul je oorlog krijgen!'

Julie zet Clarke onder druk opdat hij Sally verlaat en hij samen met Julie een eigen modehuis start. Maar loyaliteit wint het van hebzucht en Clarke besluit bij Sally te blijven, waardoor Julie echt woedend wordt. Ze is van plan alles over hun verhouding aan Sally te verklikken zodat het huwelijk zal eindigen en Clarkes carrière voorbij is.

Met de beloften van haar eigen lijn en veel geld accepteert Felicia gretig een baan bij Spectra, net voordat haar vader haar een lijn bij Forrester aanbiedt. Felicia en haar familie doen hun best om het contract met Spectra ongedaan te maken, maar Sally weigert de Forrester-deserteur te laten gaan. Om Spectra terug te pakken ontwerpt Felicia een beschamend slechte lijn, maar Sally is van plan haar ontwerpen gewoon tijdens de modeshow te tonen, waardoor de jonge ontwerpster de risée van de modewereld zou worden. Op het laatste moment ontwerpt Felicia een nieuwe lijn en de show is een succes.

Clarke is verbijsterd als hij hoort dat Sally zwanger is en hij staat erop dat zijn vrouw een abortus ondergaat. Hij acht zichzelf geen goede vader en een tweede kind ziet hij absoluut niet zitten. Om haar echtgenoot te behouden, liegt Sally en zegt ze dat ze haar zwangerschap heeft beëindigd. Julie is razend, te meer daar Clarke altijd heeft beweerd dat hij en Sally een puur platonische relatie hebben. Ze dreigt Clarke met de publikatie van een boek waarin zij hun affaire openbaar zal maken, maar hij belooft haar nooit meer met Sally naar bed te zullen gaan en bovendien overtuigt hij haar ervan dat er helemaal geen baby komt. Ze gelooft hem en vernietigt haar kopie van het manuscript. Bill is woedend over Julies verraad en wil hoe dan ook wraak nemen op Clarke en Sally. Hij stuurt Sally zijn eigen kopie van het boek en uiteindelijk gaan Sally en Clarke uit elkaar.

Uit angst een buitenechtelijk kind te baren blijft Sally wettig getrouwd met Clarke en ze weigert Sauls aanbod om de vader voor het kind te zijn. Clarke vertelt Julie dat hij niet van Sally kan scheiden omdat hij op grond van de huwelijksvoorwaarden pas na twee jaar huwelijk de helft van het bedrijf in handen krijgt. Ze vertelt hem dat ze misschien niet zo lang zal blijven wachten. Clarke overtuigt Sally ervan dat zijn bedoelingen eerbaar zijn – maar dat zijn ze niet – zodat ze niet van hem zal scheiden.

Sally is geraakt door Clarkes toewijding tijdens de moeilijke voortijdige weeën. Clarke is ontroerd als Sally hun zoon Clarke Jr. (C.J.) noemt. Maar Macy onthult Clarkes bedrog en vertelt haar moeder dat hij alleen vanwege de huwelijksvoorwaarden met haar getrouwd blijft.

Ontgoocheld en verdrietig door de scheiding van Eric is Stephanie van plan om er een tijdje tussenuit te gaan. Terwijl ze aan het inpakken is, krijgt ze echter een lichte attaque. Gedesoriënteerd neemt ze wel haar koffer mee, maar niet haar portemonnee, en ze waggelt de deur uit. Haar auto komt in een gevaarlijke buurt zonder benzine te staan en ze vraagt zich af hoe ze daar gekomen is. Stephanie wordt aangevallen door schooiers, maar een reddende, met messen zwaaiende engel genaamd Ruthanne redt haar. Ruthanne is zelf dakloos en hulpbehoevend, maar desondanks helpt ze Stephanie zich aan te passen aan het leven op straat. Een bezoek aan de politie blijkt zinloos, omdat die het te druk hebben om de vrouwen zelfs maar op te merken.

In hun nieuwe appartement ontdekt Eric dat Brooke experimenteert met manieren om katoenen luiers waterdicht te maken. Ze bekent dat ze haar werk in het ziekenhuislab mist en Eric biedt haar een lab en een baan bij Forrester aan.

Om te overleven moeten Stephanie en Ruthanne uit vuilnisbakken eten. Terwijl Brooke en Eric genieten van hun diner bij Pierre's, zoeken Stephanie en Ruthanne achter het restaurant naar voedsel. Een restaurantbediende brengt de vrouwen de restjes van de maaltijd van Eric en Brooke.

Jake besluit dat hij niet opnieuw de confrontatie met zijn vader aan wil gaan en dat hij verder moet gaan met zijn leven. Hij slaagt er voor het eerst in de liefde te bedrijven met Felicia, maar een rinkelend geluid blijft Jake almaar achtervolgen. Taylor denkt dat het geluid dat hij hoort, te maken kan hebben met zijn mishandeling als kind. Hij gaat terug naar Madison, Wisconsin in een poging een einde te maken aan zijn verwarring en twijfel. Daar kiezen zijn ouders partij tegen hem en ontkennen ze beiden dat Ben zijn zoon ooit heeft misbruikt. Margo probeert haar broer te helpen als hij ziek wordt van de situatie en ze stopt hem in zijn bed, in zijn eigen oude kamertje. Terwijl hij koortsig en ziek in bed ligt, herinnert hij zich hoe zijn vader 's nachts bij zijn bed kwam. Juist op dat moment komt zijn Oom Charlie de kamer binnen. Hij draagt naamplaatjes die rinkelen en als Jake dat geluid hoort, weet hij dat hij zich heeft vergist: niet zijn vader, maar Charlie heeft hem misbruikt.

Jake gaat de confrontatie aan met Charlie en het loopt uit op vechten. Charlie slaat Jake buiten westen en sleept zijn bewusteloze neef de garage in. Hij sluit de garagedeuren, start zijn auto en laat zijn neef daar liggen om de verstikkingsdood te sterven. In de wetenschap dat het geheim zal uitkomen en zijn reputatie zal verwoesten, schiet Charlie zichzelf dood.

Jake wordt op het nippertje gered door Margo en hij verzoent zich met zijn ouders. Eenmaal thuis in L.A. vertelt Jake aan Felicia dat hij zijn gevoelens voor andere vrouwen wil verkennen en dat hij niet toe is aan een verbintenis.

Om hun huwelijk buiten de strijd tussen de families te houden, besluiten Thorne en Macy dat een van hen hun baan zou moeten opgeven. Onder druk van Thorne geeft Macy toe en verlaat ze Spectra, maar Eric weigert haar in dienst te nemen, ondanks Thornes smeekbeden. Druk van de familie drijft de jongverliefden uiteindelijk toch uiteen. Terwijl ze proberen hun problemen op te lossen, ontmoet Macy Jake en ze is geboeid door hem. Sally moedigt haar dochter aan een nieuw leven, zonder Thorne, op te bouwen.

Van slag door het verlies van Jake, dreigt Felicia de relatie tussen Macy en Jake bekend te maken aan Thorne. Omdat ze wil proberen haar huwelijk te laten slagen, zet Macy een punt achter haar relatie met de verscheurde Jake, die een baan krijgt bij Forrester. Jake helpt zelfs mee een verrassingsreünie te beramen van Thorne en Macy, die voor elkaar zingen en de liefde bedrijven. Felicia is verontrust door de hereniging, want zij wilde net uit de school klappen over Macy's verhouding.

Buiten het Spectra-gebouw ontdekt Sally Ruthanne en Stephanie die samen de vuilcontainer doorzoeken. Sally meent dat de zwerfster op de Forrester-matriarch lijkt en belt Ridge om te vragen waar ze uithangt. Nog steeds boos op Sally vanwege Felicia, hangt Ridge op. Omdat ze echt bezorgd is om Stephanie gaat Sally naar Erics kantoor, maar hij weigert haar te geloven. Sally laat Saul en Darla pamfletten met Stephanies portret uitdelen in de achterbuurt in de hoop dat een tip zal leiden tot Stephanies opsporing.

Ruthanne stelt Stephanie voor aan een eveneens dakloze vriend, Adam. Het klikt tussen die twee en na verloop van tijd worden ze intiem en kussen ze elkaar. Adam ontdekt een van de pamfletten over de vermiste Forrester. Het nieuws beangstigt Stephanie, die haar nieuwe vrienden niet wil verlaten. Maar Adam dringt erop aan dat Ruthanne Stephanie naar huis brengt en geeft hun geld voor een taxi.

Stephanie wordt omhelsd door haar familie, maar ze kan zich hen niet herinneren. Een arts bevestigt dat ze een lichte attaque heeft gehad. Stephanie is van plan terug te gaan naar haar vrienden op straat, maar Eric staat erop dat ze thuisblijft. Stephanie herinnert zich niets van haar huwelijk, maar ze wordt smoorverliefd op haar zorgzame ex. Als ze dan ook langzaam maar zeker haar geheugen weer terugkrijgt, doet ze alsof dat niet zo is terwijl ze Eric probeert terug te winnen. Ze doet wat ze kan om Ridge en Brooke bij elkaar te brengen en Eric vrij te maken voor haarzelf. Stephanie spoort intussen ook Ruthannes familie op en herenigt hen. Eric is onder de indruk van het nieuwe, liefdevolle gedrag van zijn ex-vrouw. Maar achter Erics rug om heeft Stephanie een verborgen videocamera in het lab geplaatst om Brooke te bespioneren en ze betrapt haar als ze met Ridge vrijt.

Storm blijft wachten tot Taylor hem antwoord geeft op zijn huwelijksaanzoek, maar Ridge blijft Taylor achtervolgen met attenties. Hij zegt haar dat ze niet met een ander moet trouwen omdat ze in feite iets voor hem voelt. Ze vertelt een teleurgestelde Storm dat ze van hem houdt, maar dat ze niet met hem kan trouwen. Storm besluit naar San Francisco te verhuizen en Donna gaat met hem mee.

Taylors ex-man, Blake, arriveert in de stad en hij is vast van plan haar terug te winnen. In de Taxi Bar ontmoet Blake Margo en ze beklagen zich over hun ontbrekende liefdesleven. Als Taylor ziet dat Ridge Brooke kust, geeft ze toe aan de verleiding van haar ex-man en ze hernieuwen hun relatie.

Als Ridge dan eindelijk zijn huwelijksaanzoek aan Taylor doet, weigert zij hem omdat ze denkt dat hij alleen maar zijn gevoelens voor Brooke probeert te onderdrukken. Taylor geeft Blake de sleutel van haar appartement. Ze kan evenwel niet over haar gevoelens voor Ridge heenkomen en Blake zit achter Margo aan. Margo vraagt Bill om een scheiding, maar hij besluit hun huwelijk nog een kans te geven.

Eric vertelt Brooke dat hij graag nog een kind met haar wil, maar ze blijft achter z'n rug om de pil slikken, terwijl ze over Ridge fantaseert. Stephanie fingeert een liefdesbrief van Eric die ervoor zorgt dat Ridge en Brooke samen de benen nemen naar de hut.

Terwijl Stephanie popelt om Eric het nieuws over de verhouding tussen Ridge en Brooke te vertellen krijgt hij een auto-ongeluk en Stephanie blijft waken aan zijn bed. Als hij genoeg is opgeknapt schokt Eric iedereen door Brooke te vragen hem naar huis te brengen. Hij is van plan met Brooke naar bed te gaan, maar valt na te veel cognac in slaap. Ridge en Brooke realiseren zich dat Eric nog steeds verliefd is op zijn huidige vrouw en confronteren Stephanie met haar valse liefdesbrief-list. Brooke vindt dat ze eerlijk moet zijn tegen Eric en vertelt dat ze altijd van zijn zoon is blijven houden.

Verpletterd wendt Eric zich tot Stephanie, die belooft er altijd voor hem te zijn. Gekwetst door Brooke en Ridge besluit Eric dat er geen scheiding komt – hij is vastberaden Brooke van hem te laten houden. Brooke geeft haar man een proefperiode van twee maanden, maar zweert Ridge dat ze dan naar hem terug zal komen. Ridge is bang dat zijn vader Brooke weer terug zal winnen. Eric dringt erop aan dat Brooke zich gedraagt als mevrouw Forrester en verbiedt haar Ridge gedurende de eerste twee maanden te ontmoeten. Eric brengt een bezoek aan Taylor en stelt voor dat ze snel in actie komt om Ridge bij Brooke weg te houden.

Brooke doet haar best om Eric van zich te vervreemden, maar zonder succes. Eric is dolenthousiast dat Brookes Project X zeer succesvol is. Hij weet zeker dat de kreukvrije stof die zij heeft uitgevonden een revolutie in de industrie zal veroorzaken.

Zelfs al is Sally zich ervan bewust dat Clarke onbetrouwbaar en ontrouw is, haar relatie met hem is goed. Ze zou alleen willen dat haar bedrijf sterkere ontwerpen kon produceren. Nu Clarke creatief vastzit, ziet de toekomst van Spectra er somber uit. Clarke vraagt hulp aan Taylor, die oppert dat zijn problemen oplossen als hij zich volledig geeft aan Sally.

Sally probeert Jake te strikken om haar te helpen de nieuwe geheime Forrester-formule te stelen in ruil voor een toekomst met Macy. Felicia realiseert zich dat Jake nog steeds iets voelt voor Macy en nadat ze de twee heeft zien kussen rent ze naar haar broer om hem te vertellen dat zijn vrouw overspelig is. Een boze Thorne slaat Jake in elkaar en ontslaat hem bij Forrester. Het geheime Project X dossier belandt op Sally's bureau en ze spant met Clarke samen om met de Forresters te kunnen concurreren in de race om de kreukvrije stof.

Eric neemt Felicia in vertrouwen over Project X en vraagt haar uit te zoeken of Spectra weer spionage aan het bedrijven is. Felicia doet alsof ze geïnteresseerd is in Clarke en realiseert zich dat haar baas van het bedrijf steelt. Clarke verzekert Sally dat gegevens over de kreukvrije stof geantidateerd zullen worden om henzelf te beschermen.

Taylor probeert Ridge te versieren, die op haar avances ingaat. Maar ze weigert met hem naar bed te gaan, omdat hij nog steeds van Brooke houdt. Ridge is in de war en vraagt zich af van wie hij moet houden en of hij ooit iemand zal vinden van wie hij net zoveel houdt als van Caroline.

In de wetenschap dat hij Taylor nooit zal hebben vertrekt Blake naar Texas. Tijdens een diner dringt het tot hem door dat zijn serveerster, Faith Roberts, een griezelige gelijkenis vertoont met Caroline. Blake huurt een kamer boven het eethuis en leert Faith beter kennen. Ze vertelt hem dat ze met haar moeder is opgegroeid in Boise, Idaho. Faith' moeder, Bonnie, waarschuwt Blake dat hij bij haar dochter uit de buurt moet blijven en bedreigt hem met een pistool.

Blake confronteert Bonnie met de wetenschap dat Faith de dochter van Bill Spencer is - Carolines tweelingzus! Bonnie geeft toe dat haar vriend Faith als baby ontvoerd heeft met de bedoeling haar te vermoorden nadat het losgeld was betaald, maar Bonnie redde het kind van de dood. Faith is woedend op haar nep-moeder: Bonnie heeft haar beroofd van haar echte familie.

Hunter Tylo
(Taylor Hayes Forrester)

Dr. Taylor Hayes was eerst Carolines arts tijdens haar kortstondige maar fatale ziekte, maar in een soap-opera-oogwenk was Taylor opeens een superpsychiater die de problemen van ieder ander oplost. Een kortstondige verhouding met Storm Logan kon deze bloedmooie dame er niet van weerhouden om een relatie aan te gaan met de man die haar hart werkelijk op hol liet slaan – Ridge Forrester. Zal ze in staat zijn Brooke voor altijd uit hun leven te houden?

Het beest in haar

Geboren als Deborah Hunter in Fort Worth, Texas, was actrice Hunter Tylo een ondeugend kind, dat het leuker vond met slangen en hagedissen te spelen dan met Barbiepoppen. Wie had gedacht dat deze wildebras ooit door het tijdschrift *People* en door *T.V. Guide* uitgeroepen zou worden tot een van de mooiste vrouwen ter wereld?

Toen Hunter klein was, bestelden zij en haar oudere broer Jay per postorder een alligator – overigens zonder medeweten of toestemming van hun ouders. De kinderen waren op school toen het pakket arriveerde en hun moeder maakte de doos open. Een alligator van ruim dertig centimeter viel op de bar in de keuken en moeder maakte dat ze uit de buurt kwam. De 'krok' schoot onder de bank en ma stond vijf uur lang op een stoel te wachten tot pa thuiskwam van zijn werk.

De kinderen kregen straf, maar mochten het reptiel, dat ze George noemden, houden. Hij paste goed bij het andere beestenspul: drie boa-constrictors en een roodstaarthavik. Toen George na vier jaar 1.30 meter lang was, werd het tijd hem te verhuizen: ze schonken hem aan de Fort Worth Zoo.

Toen wilde Hunter dierenarts worden. Ze volgt nog steeds voorbereidende cursussen in de hoop ooit deze droom te realiseren als het met acteren minder wil vlotten. Toen Hunter nog een tiener was, was haar moeder bang dat haar dochter verkeerd terecht zou komen. 'Laten we zeggen dat ik weinig weghad van een dame,' grinnikt ze. 'Mijn moeder zei altijd: "Je moet die alligator en de slangen echt wegdoen en aan een carrière gaan denken." Ze wilde alleen maar dat ik een volwassen dametje zou worden, omdat dat in het Zuiden zo hoort. Ze stuurde me zelfs naar een etiquetteschool.'

De actrice is nog altijd een behoorlijke wildebras, die liever geen make-up draagt en die haar haar verstopt onder een honkbalpet. Maar de ervaring opgedaan op de etiquetteschool heeft in feite haar acteer-carrière van de grond geholpen. Als leeropdracht moest Hunter namelijk meedoen aan de Miss Teenage Fort Worth-schoonheidswedstrijd. En ze won! De jongedame wilde de hoofdprijs, een beurs, gebruiken voor haar studie, maar het noodlot stak daar een stokje voor.

Een onverstandig huwelijk

Op haar achttiende, meteen na de middelbare school, trad Hunter in het huwelijk. 'Ik was nog nooit uitgegaan met jongens van school, omdat ik altijd omging met jongens uit de stad die ouder waren dan ik,' vertelt ze. Haar eerste echtgenoot was zeven jaar ouder dan zij en ze hoopte dat de verbintenis hun leven ten goede zou veranderen. 'Het was een vergissing. Ik denk niet dat ik wist waar ik mee bezig was. We woonden op het platteland buiten Fort Worth en na het eindexamen gingen al mijn vriendinnen werken bij de Dairy Queen, een plaatselijke zuivelfabriek. Ik wist dat dat niet was wat ik van het leven verwachtte.'

Ze werd snel zwanger van zoon Chris en zegt dat het huwelijk al halverwege de zwangerschap echt stukliep – hoewel de verbintenis toch nog drieëneenhalf jaar standhield. 'Zo jong een kind krijgen was een schok voor me, omdat ik niet wist hoeveel verantwoording dat inhield. Toch ben ik blij dat het gebeurd is, omdat het me dwong volwassen te worden. Het motiveerde me een carrière op te bouwen in plaats van m'n leven te verniksen.'

Na haar scheiding werd Hunter tijdelijk model om aan de kost te komen en om haar studie te betalen. 'Ik zag het niet als een manier om beroemd te worden; ik zag het als een manier om snel geld te verdienen voor school en toch nog tijd over te hebben voor mijn zoon,' zegt ze. Ze had toen nog steeds het plan dierenarts te worden.

In 1984, tijdens een toneeluitvoering in Dallas, werd Hunter ontdekt door de talentenjager van *ALL MY CHILDREN*. Drie dagen later was ze in New York aan het werk: ze speelde de middelbare scholiere Robin. Haar rol in de soap introduceerde haar bij de man die haar volgende echtgenoot zou worden – een man die veertien jaar ouder was dan zij – Michael Tylo. Michael is een populaire soap-acteur, die rollen speelde in *GUIDING LIGHT* (Quint), *AMC* (Matt), *GENERAL HOSPITAL* (Charlie) en nu *THE YOUNG & THE RESTLESS* (Blade).

In het begin was de relatie tussen Hunter en Michael echter helemaal niet zo vriendschappelijk. 'We waren wat je noemt "norse kennissen". En vanaf het moment dat de schrijvers van de soap onze personages wilden koppelen was het echt oorlog. Michael kwam naar me toe en zei: "Ik weet niet of jij het script hebt ingekeken," en voor ik iets kon uitbrengen, zei hij: "Mijn personage zou nooit een tuttebel van de middelbare school willen. Ik heb met de producers gepraat. Ik heb de scène herschreven. Meisje, je hoeft niks te doen, ik kom je zo halen voor je tekst,"' herinnert ze zich. 'Ik stond daar en vond die vent de grootste klootzak die ik in m'n hele leven ontmoet had! En alle anderen bij *AMC* zeiden: "Ja, dat is ie." Hij was gewoon ongelooflijk arrogant.'

Erop terugkijkend realiseert Hunter zich dat Michael verbitterd was vanwege een slepende echtscheiding die hij op dat moment doormaakte. Uiteindelijk ontdooide hij tegenover haar. 'Zes maanden later, toen ik hem haatte uit de grond van m'n hart, kwam hij naar me toe toen ik met krulspelden in m'n haar zat en geen make-up op had, en hij zei: "Heb je ooit iemand een tijdje gekend en toen gewoon ineens ontdekt hoe mooi ze eigenlijk is?"' vertelt ze. "En hij zei: 'Je bent echt mooi." Ik stond daar en dacht: "Die vent is geschift."'

De twee probeerden verschillende keren met elkaar uit te gaan, maar allebei kwamen ze meer dan eens als enige opdagen – wat alleen maar olie op het vuur van hun groeiende seksuele spanning was. Eindelijk, tijdens de repetitie voor een scène in de studio, waren ze elkaar ineens aan het kussen. 'We keken allebei geschokt. Ik zei: "Ik moet gaan" en liep weg. Hij kwam later die dag naar mijn kleedkamer en zei: "Ooit zal ik met je trouwen." Ik was geschokt, maar had het gevoel dat hij gelijk had. Vanaf toen was het alsof we altijd al verliefd waren geweest op elkaar.'

Ze gingen zes maanden lang stiekem met elkaar uit, omdat de soap-bazen niet wilden dat acteurs dat deden. En Michael had gelijk; ze trouwden op 7 juli 1987. De serie was het er niet mee eens, bang dat de kijkers niet meer zouden geloven in een romantische verhaallijn met andere personages. *AMC* vroeg Hunter zonder contract te werken zodat ze haar langzaam aan uit de serie konden schrijven, maar dat weigerde ze en ze verliet de serie helemaal. Omdat Michael werk had, schreef ze zich in bij de Forham University in New York om haar voorbereidende medische graad te halen. En ze baarde haar tweede zoon, Mickey – Michael Tylo II – geboren op 24 april 1988.

Het naamspel

Terwijl Hunter in *ALL MY CHILDREN* speelde, was haar artiestennaam Deborah Morehart in plaats van Deborah Hunter. Toen ze met Michael trouwde, nam ze zijn achternaam aan en gebruikte haar eigen achternaam als voornaam. Vanwaar de verandering? 'Ik wilde na mijn vertrek uit *AMC* mijn naam èn mijn image veranderen,' vertelt ze. 'Op een bepaald moment begonnen de schrijvers van de serie de figuur Robin een beetje goedkoop te maken. Ik was niet blij met de manier waarop ze het personage neerzetten en ik verschilde daarover altijd met hen van mening. Ik had het gevoel dat ik de stereotiepe badpak-bimbo was, omdat Robin dat was geworden, en ik wilde afrekenen met dat image. Dus zodra ik uit de serie was, veranderde ik onmiddellijk mijn look, mijn haarkleur en ook mijn naam.'

Terwijl haar *AMC*-personage kelderde tot het niveau van bimbo, werd haar haar blonder en blonder. Toen ze daar eenmaal weg was, kregen haar lokken weer hun natuurlijke bruine kleur en ze kreeg snel een rol in de in Los Angeles gevestigde soap *DAYS OF OUR LIVES* als de verdorven Marina Toscono. 'Dat was niet best. Ik wist niet waar ik in terechtkwam en ik denk niet dat ik de rol had aanvaard als ik van tevoren geweten had wat er bij kwam kijken. Ze waren al lang op zoek naar iemand voor Marina en iedereen probeerde deze rol te krijgen, maar toen ik 'm eenmaal had, realiseerde ik me in wat voor slangenkuil ik mezelf gegooid had.'

Hunters probleem met *DAYS* zat 'm meer in de fans dan in de serie. De kijkers reageerden heftig op Hunter als Patch' manipulerende eerste vrouw – ze maakten zich echt kwaad om de mogelijke breuk tussen Patch en Kayla, hun favoriete stel. Hunter kreeg dreigbrieven van fans die de actrice met haar personage verwarden. Op de set steeg de spanning tussen Hunter en haar collega's en producers en na zes maanden werd haar rol opgezegd. Het was een wederzijdse beslissing, voegt de actrice er aan toe en tot vreugde van de fans werd Marina vermoord. Helaas werd hun engelachtige Kayla beschuldigd van het misdrijf!

Groenere weiden

Toen de rol van Taylor Hayes bij *B & B* zich voordeed, kon Hunter de verleiding een arts te spelen niet weerstaan. Haar echte medische studie was inmiddels beperkt tot een avondcollege per semester. Ze genoot van de kameraadschap met haar collega's – ze haalde vaak grappen uit met Ronn Moss (Ridge) en John McCook (Eric) – en ze vond het leuk dat de soap van een half uur haar in staat stelde ook tijd aan haar kinderen te besteden en reclamespotjes te doen. Enkele van haar grote campagnes zijn Clairol, Clarion Cosmetics en ze is nog altijd het gezicht van Pantène-shampoo.

Michael werd ook ingehuurd door de Bells. Hij kreeg een baan als de mysterieuze fotograaf Blade in *THE YOUNG & THE RESTLESS*. Door hun rollen werkten ze ieder aan een kant van de gang bij CBS en waren ze in staat samen te pendelen vanuit hun huis in de San Fernando Vallei.

Vaarwel *B & B*... en Michael!

Begin 1994 veranderde Hunters leven binnen enkele maanden volledig. Het gezin was net in hun nieuwe huis buiten Las Vegas gaan wonen terwijl ze nog een appartement nabij CBS aanhielden. De Tylo's begonnen te wennen aan het vliegtuigpendelen en waren dolgelukkig dat hun zoons in een veiliger omgeving en beter schooldistrict woonden. In feite had het stel het zelfs over nog een kind. Hunter had echter ooit geantwoord op de vraag of ze een derde kind zou willen: 'Nee. Dit is het. Ik weet dat het raar klinkt, maar ik heb nooit tijd voor mezelf gehad. Meteen na mijn eindexamen van de middelbare school werd ik zwanger, dus ik heb nooit iets voor mezelf gedaan. Ik wil wanneer de kinderen wat groter zijn graag wat meer tijd voor mezelf en mijn man gaan nemen.'

In februari tekende Hunter voor haar eerste grote project buiten soaps om, een mini-serie met Bruce Boxleitner genaamd *The Maharaja's Daughter*. Hunter versloeg zelfs *Wayne's World*-ster Tia Carrere voor de rol. Voor de serie zou twee maanden in India – in het echte paleis van de Maharadja – worden gefilmd. Hunter, die nooit vakantie of vrije dagen had opgenomen tijdens haar vier jaar in de soap, vond dat ze deze kans verdiend had. Maar in *B & B* zat Taylor net midden in een driehoeksverhouding met echtgenoot Ridge en de mysterieuze James Warwick (Ian Buchanan). Insiders vertellen dan ook dat de producers met stomheid geslagen waren dat de actrice tekende voor de film zonder het eerst met hen te bespreken. Ze waren duidelijk helemaal niet blij hun topattractie te verliezen, en contractueel gezien hadden ze het volste recht haar ervan te weerhouden de film te doen.

Intussen ging Michael bij de dokter langs voor een verzekeringskeuring, die verrassend nieuws bracht. Hij had symptomen van Myelo Fibrosis – een toestand die kon leiden tot leukemie of lymfekanker. De acteur zei dat Hunter bij hem was in de spreekkamer van de arts toen hij het nieuws vernam en ze had ernstige bedenkingen tegen haar reis naar India. Maar Michael moedigde haar aan deze kans niet voorbij te laten gaan: 'Ik zei haar te gaan.'

De problemen met de producers over haar reis naar India hielden aan. Er vonden verhitte telefoongesprekken plaats, maar uiteindelijk besloten ze haar te laten gaan – definitief. Ze nam haar laatste scènes op waarin Taylor aan boord ging van een vliegtuig voor een last-minute medisch congres in, nota bene, India – en de volgende dag zat Hunter zelf in het vliegtuig naar India om met de opnamen te beginnen. Haar lot bij de serie leek bezegeld toen Taylors vliegtuig neerstortte. Haar bezittingen werden gevonden, maar haar lichaam was onherkenbaar verbrand – een soap-operatruc om het personage, indien gewenst, in de toekomst te laten herleven.

De industrie gonsde van het nieuws van Hunters vertrek. Niemand twijfelde eraan dat ze ander werk zou kunnen vinden na afloop van de mini-serie, maar het feit dat ze haar schepen bij de Bells achter zich verbrandde, leek onkarakteristiek en vreemd.

Slechts enkele weken na aankomst in India nam Hunters privé-leven ook een verrassende wending. Ze belde Michael op 11 april en vroeg na zeven jaar huwelijk echtscheiding aan. De acteur was verbluft. Zijn pogingen haar op locatie te bereiken voor verdere discussies waren vruchteloos. Ze belde terug op 24 april, Mickey's verjaardag. Michael vertelde haar dat er aanvullende tests waren gedaan door de arts en dat het goed zou komen. Ze antwoordde hem door te zeggen dat hij scheiding van tafel en bed moest aanvragen.

Michael deed zijn voordeel met het feit dat Hunter het land uit was en hij huurde een publicist in om zijn kant van het verhaal te vertellen. Hij organiseerde een persconferentie in het historische Hollywood Roosevelt Hotel om vragen van verslaggevers te beantwoorden, maar op de dag voor de gebeurtenis zette Bill Bell (nog altijd Michaels baas) hem onder druk om de bijeenkomst af te gelasten. In plaats daarvan gaf de acteur het volgende persbericht uit op 27 april 1994, hier volledig afgedrukt:

Hoezeer ik er ook een hekel aan heb mijn privé-leven openbaar te maken, ben ik gedwongen naar buiten te treden met twee recente gebeurtenissen in mijn leven. Ik moet dit doen om mijn kinderen te beschermen en om geruchten te laten verstommen.

Terwijl ik voor mijn vrouw Hunter haar droomhuis in Nevada aan het bouwen was, vroeg ik een aanvullende ziektekostenverzekering aan, omdat ik ouder dan 40 ben. Daarvoor was een routineonderzoek met bloedonderzoeken vereist. Op 2 maart onderging ik het onderzoek. Het bloed liet een toestand zien die Myelo Fibrosis heet, wat neerkomt op een verhoogd aantal witte bloedlichaampjes. Deze toestand zou kunnen leiden tot lymfekanker of leukemie. Ik onderging talloze en ingrijpende onderzoeken en op vrijdag 22 april kreeg ik tot mijn opluchting te horen dat ik niet aan een ziekte lijd. Ik moet alleen beter voor mezelf zorgen. Ik ben al begonnen met een gezond, door de dokter goedgekeurd dieet en zal iedere drie maanden getest worden om er zeker van te zijn dat ik mijn conditie behoud.

De reden dat ik zo bezorgd ben over mijn toestand is vanwege mijn 24-uurs baan als vader van mijn zonen, Christopher en Mickey. Hun welzijn is mijn belangrijkste zorg. Ik houd heel veel van hen allebei en zal blijven zorgen voor een stabiele en liefdevolle, huiselijke omgeving.

Hunter Tylo en ik zijn op 7 juli 1987 getrouwd. Ik had de intentie de rest van mijn leven met Hunter en ons gezin door te brengen. Op 30 maart van dit jaar ging Hunter, op locatie in India voor een mini-serie, winkelen voor trouwringen voor een plechtigheid waarin we onze geloften zouden hernieuwen en onze zevende trouwdag zouden vieren. Twee dagen later, op 2 april, belde Hunter om me te vertellen dat ze niet zeker wist of ze me de liefde die ik nodig heb, kon geven. Op 11 april, één week later, vroeg ze me om een scheiding.

Ons hele gezin hoorde op 24 april weer van Hunter toen ze belde om onze jongste zoon een prettige verjaardag te wensen en me zei scheiding van tafel en bed aan te vragen. Ze stemde erin toe in gezinstherapie te gaan.

Ik zou Hunters familie, mijn eigen familie en vooral onze kinderen willen bedanken voor hun steun aan mij als eerste voogd van onze kinderen. Ze zijn mijn enige en belangrijkste reden voor het openbaar maken van deze uiterst vernederende en pijnlijke saga in onze levens.

Hoewel ik altijd hoopvol ben dat mijn huwelijk met Hunter zich op een dag zal vernieuwen, zal ik desondanks de rest van mijn dagen een liefdevolle, steunende en zorgzame omgeving voor onze zonen blijven creëren. Ik kijk uit naar de gelegenheid deze zaak vriendschappelijk op te lossen en, indien enigszins mogelijk, tegelijkertijd onze kinderen tegen Hunters recente acties te beschermen. Ik wil u allen en mijn trouwe fans graag bedanken voor uw steun.

Een drukte aan persactiviteiten volgde, waarin Michael in detail trad over Hunters 'plotselinge' gedrag, ongetwijfeld in een poging publieke sympathie te verwerven voor wat hoogstwaarschijnlijk een zware strijd om de kinderen zou worden. Michael maakte duidelijk dat hij voogdij zou aanvragen voor niet alleen zijn zoon, Mickey, maar ook voor Hunters zoon, Christopher.

Hunter werd uiteindelijk in India bereikt door *Soap Opera Digest*. Ze vertelde het tijdschrift dat de breuk niet onverwachts was en dat het paar al vrij lange tijd problemen had. 'We hebben goed geacteerd,' zegt ze. 'We weten hoe dat moet. We stonden altijd in de publieke belangstelling. Het huwelijk werkte al een tijdje niet meer en we dachten dat het bouwen van een huis dat zou herstellen. We praatten over nog een kind en we dachten dat dat het goed zou maken. We dachten dat mijn verblijf in India onze relatie goed zou doen, maar het enige wat het voor mij deed was de problemen bevestigen. Een tijd zonder elkaar maakt of breekt een relatie en in ons geval brak ze.'

Hunter benadrukte tegenover de verslaggever dat er geen andere man in haar leven was – er gingen namelijk geruchten dat de actrice kort na aankomst op de filmset een verhouding was begonnen met een Indiase stuntman, waarbij ze niet alleen haar eigen gezin uiteendreef, maar ook het zijne. Volgens een verhaal zou ze Michael zelfs voor de paasvakantie gebeld hebben met het verzoek haar zonen op zondag niet mee naar de kerk te nemen; ze zou ze laten bekeren tot het boeddhisme.

Digest publiceerde bovendien een verhaal dat Hunter een verhouding met een arts had, maar zij ontkende het: 'Ik zou graag het gerucht willen rechtzetten dat ik met een arts uitga. Het is niet waar. Wat kan ik zeggen? Het huwelijk werkt niet.'

Ondanks alles gaf Michael nooit de hoop op dat zij het misschien zouden bijleggen als Hunter eenmaal terug was in Amerika – als ze inderdaad de beloofde gezinstherapie zou doorzetten. 'Het zou te gemakkelijk voor me zijn terug te komen en alles weer op z'n plaats te laten vallen – dat wij tweeën gewoon doorgaan,' vertelde ze toen. 'Maar tegelijkertijd heb ik mijn kinderen en dat maakt een echtscheiding erg moeilijk. Ik wil een gelijkwaardige relatie; een relatie waarin me niet wordt *gezegd* hoe ik dingen moet aanpakken. Het is moeilijk om te zeggen, maar ik heb hem niet gemist.'

Terwijl Michael volhoudt dat hij geen idee had van haar gevoelens toen ze naar India vertrok, vertelde Hunter *Digest* dat ze Michael z'n trouwring teruggaf *voor* ze vertrok, omdat ze 'wilde laten zien dat het niet goed zat tussen ons. Aan elk huwelijk moet je werken, maar als het uiteindelijk meer werk wordt dan romantiek of liefde...' Michael kaatste terug dat ze haar trouwring thuis had gelaten uit angst dat-ie gestolen zou worden.

Te midden van de heisa en het gooien met modder deed zich een andere interessante ontwikkeling voor. Bronnen bij *B & B* onthulden dat Hunters abrupte vertrek uit de serie niet zo'n kloof had veroorzaakt als aanvankelijk werd gedacht. Terwijl de producers boos waren over haar plannen voor de mini-serie vonden volgens zeggen te elfder ure gesprekken plaats die de actrice uiteindelijk terug zouden kunnen brengen in de serie. Verslagen melden dat ze voor haar vertrek een nieuw contract voor 18 maanden tekende dat in zou gaan als ze klaar was met de film. Maar na de publieke huwelijksperikelen van de Tylo's denken sommigen dat de serie geen gebruik zal maken van het recht haar weer te gebruiken, vooral omdat het haar aan de overkant van de gang in contact met Michael, die in *Y & R* speelt, zal brengen.

Toen dit boek ter perse ging, waren zowel de echtscheiding als Hunters mogelijke terugkeer bij de soap nog onzeker. Tegen het einde van mei 1994, voordat *The Maharaja's Daughter* af was, was Hunter betrokken bij een auto-ongeluk in Bombay, waarbij ze haar sleutelbeen op vier plaatsen brak. Hunter keerde terug naar Amerika en trok zich terug in het huis van haar ouders in Texas om te herstellen – ver weg van de publiciteit.

Statistische gegevens
Geboren: 3 juli 1962 in Fort Worth, Texas
Burgerlijke staat: leeft gescheiden van acteur Michael Tylo (THE YOUNG & THE RESTLESS); het paar trouwde op 7 juli 1987. Hunter heeft twee kinderen, Christopher (uit een eerder huwelijk) en Mickey, geboren op 24 april 1988
Hobby's: de medische wetenschap, reptielen, paardrijden
Dagdrama's: ALL MY CHILDREN, Robin McCall, 1985-1987; DAYS OF OUR LIVES, Marina Toscono; THE BOLD AND THE BEAUTIFUL, Dr. Taylor Hayes, 1990-1994

BIJROLLEN

Jane Rogers
(Julie DeLorian)

Jane Rogers werd geboren op 6 april en groeide op in Minnesota. Ze kreeg haar theateropleiding bij de Children's Theater Company of Minneapolis en deed lokale optredens in produkties als *I Oughta be in Pictures, The Crucible* en *Taming of the Shrew*. Begin jaren '80 werd Jane ontdekt in een landelijke talentenjacht en kreeg ze een rol in de film *Purple Haze*. Vervolgens kreeg ze een klein terugkerend rolletje in *FALCON CREST* en deed ze gastoptredens in *KNOTS LANDING, T.J. HOOKER* en *THE REDD FOXX SHOW*.
Verder speelde Jane deugdzame verpleegsters in *GENERAL HOSPITAL* (Celeste Gabriel) en *SANTA BARBARA* (Heather Donnelly) en toen de kans zich voordeed de rol van de verdorven Julie DeLorian te spelen in 1989 greep Jane die met beide handen aan. Julie is een sexy konkelaarster die werd ingehuurd door Bill Spencer om een wig te drijven tussen Clarke Garrison en Sally Spectra. Dat lukte niet echt, omdat Julie verliefd werd op Clarke en met hem een 'fatal attraction'-verhouding begon. De rol leverde de actrice veel aandacht op. In 1990 won ze de Soap Opera Award voor Opmerkelijke Bijrol-Actrice en in '92 werd ze genomineerd in de categorie Opmerkelijke Boosdoenster. Haar verhaallijn kwam eind 1991 echter ten einde. Inmiddels speelt ze weer toneel: na negen jaar afwezigheid uit het theater maakte Jane een comeback in twee eenakters die ze samen produceerde met Daniel Rojo, sinds jaren haar vriend. Daarnaast houdt ze zich bezig met het inspreken van commercials voor Nike en andere adverteerders. 'Ik houd van inspreekwerk. Je kunt erheen gaan terwijl je er niet uitziet en het maakt niemand iets uit,' vertelt ze. 'Je hoeft geen uren in een make-upstoel te zitten of krullers in je haar te hebben. Een wijde spijkerbroek en een sweater – dat volstaat.'
In 1993 stierf Janes vader bijna tijdens een harttransplantatie en het incident heeft haar leven veranderd. 'Nu zorg ik ervoor dat ik tijd besteed aan dingen die echt belangrijk zijn... familie, de mensen van wie ik houd, en ik probeer zoveel mogelijk van het leven te genieten.' Ze werkt er ook aan haar carrière nieuw leven in te blazen. Ze heeft een nieuwe agent en maakt weer haar auditierondjes. Recentelijk is ze in verschillende prime-timeseries te zien geweest en kreeg ze een rol aangeboden in een in New York gevestigde soap die ze af moest wijzen omdat ze Los Angeles niet wilde verlaten. In 1994 heeft ze ook de film *The Sabbath* gedaan, waarin ze een detective speelt die probeert een seriemoordenaar op te sporen.

Peter Brown
(Blake Hayes)

Peter Brown werd geboren op 5 oktober 1945 in New York City, waar zijn moeder werkte als hoorspel- en t.v.-actrice. Peter bracht zijn jonge jaren door op een ranch in Californië, waar hij een passie voor paarden en rodeo's ontwikkelde die hij nog altijd heeft. Met het acteren in zijn bloed verkende Peter het theater tijdens zijn dienstplicht. Gelegerd in Alaska organiseerde hij een toneelgroep en die ervaring gaf zoveel voldoening, dat hij zich bij zijn afzwaaien inschreef aan de University of California, Los Angeles met toneel als hoofdvak.

Peter werd een succesvolle karakteracteur, die op de titelrol van verschillende t.v.- en filmprojecten verscheen. Hij speelde onder meer in *Eagles Attack at Dawn, Summer Magic, A Tiger Walks* en *Ride the Wild Surf.* Zijn aantrekkingskracht bij het publiek bezorgde hem de onderscheiding voor de Meest Opvallende Nieuwkomer, een prijs die hem werd uitgereikt door John Wayne.

Hij speelde in de series *L.A.WMAN, LAREDO* en *CAR CARE CENTRAL* en heeft gastrollen gespeeld in *MAGNUM P.I., HUNTER, KNIGHTRIDER, DALLAS, BAYWATCH, FALL GUY* en vele andere series.

Hoewel hij honderden uren prime-timetelevisie op zijn naam heeft, is Peter vooral bekend geworden door de dag-t.v. Van 1972 tot 1979 speelde hij een hoofdrol in *DAYS OF OUR LIVES* als Greg Peters; hij verscheen in *THE YOUNG & THE RESTLESS* van 1981 tot 1982 als Robert Lawrence; als Roger Forbes in LOVING, 1983 tot 1984; in *ONE LIFE TO LIVE* als Charles Sanders van 1986 tot 1987; en het meest recent in *B & B* als Blake Hayes, de geheimzinnige man die geobsedeerd is door zijn ex-vrouw Taylor.

Peter trouwde in 1986 met zijn vijfde echtgenote, Mary, en ze wonen in Hermosa Beach, Californië. Hij is vader van twee zonen, Matthew en Joshua. Als hij niet acteert, geniet Peter van tennis, golf, mountainbiken en tijd in de buitenlucht doorbrengen met zijn familie.

PAS OP VOOR DEZE VROUWEN!

Het genre van de soap-serie is altijd al een bolwerk voor en over vrouwen geweest en zal dat altijd blijven. *THE BOLD AND THE BEAUTIFUL* is daar geen uitzondering op, integendeel, deze soap kent meer vrouwenrollen dan welke soap dan ook. De vrouwelijke personages zijn ook zeer gevarieerd: sterke, maar gevoelige dames; zelfstandige en toch zorgzame vrouwen; intelligente, maar geslepen types. De doorsnee-soap voert ook vaak een mannelijke detective of politieagent op in de rol van held, maar bij *B & B* zitten ze op dat soort helden helemaal niet te wachten, aangezien de serie wordt bevolkt door een overvloed aan professionele, wilskrachtige en gezinsgerichte vrouwen. Deze dames hebben hun eigen geld, zorgen voor zichzelf en kunnen – indien noodzakelijk – zonder man aan hun arm bestaan.

Stephanie Forrester is de koningin van deze heldinnen. Ze doorstaat rampspoed en ellende als geen ander. Ze neemt haar jongste zoon in bescherming als hij wordt gezocht door de politie vanwege de aanslag op Ridge, ze overleeft een langdurig bestaan als dakloze en ze weigert haar huwelijk op te geven. Hoewel ze gescheiden is van Eric blijft ze om hem heen cirkelen als een aasgier, wachtend tot hij zich zijn vergissing realiseert en naar haar terugkomt. Intussen is ze een volwaardige partner in het mode-imperium dat zij samen hebben gecreëerd en is ze heel doortastend als het aankomt op het beschermen van haar kinderen, het bedrijf en haar ex-echtgenoot.

Haar rivale, Sally Spectra, is de eigenaresse van Spectra Fashions. Sally schuwt de list en andere onorthodoxe methoden niet. Zo neemt ze haar toevlucht tot bedrijfsspionage om de Forresters in de houdgreep te krijgen. Wat ze mist aan integriteit maakt ze evenwel goed in liefde voor haar kinderen. Zij is de moeder die haar gezin door diepe dalen heeft gesleept en die er alles voor over heeft om haar kinderen hogerop te helpen in de wereld. Bovendien toont deze diva tussen neus en lippen door nog even aan dat je niet onder de 40 hoeft te zijn om moeder te worden en dat je niet slank hoeft te zijn om je met veel flair te kleden.

Deze aanvoersters leiden in feite de mode-industrie – zij zijn de drijvende motor – en bijna alle andere personages van de soap zijn bij hen in dienst.

Brooke is op geheel andere wijze de heldin van de serie. In de eerste aflevering van de soap overleefde Brooke een aanranding, maar de schrijvers hebben vermeden haar tot een traditioneel slachtoffer te bombarderen. Ze is altijd een slimme vrouw geweest met een eigen inkomen. Als alleenstaande moeder van twee kinderen blijft ze haar baan bij Forrester aanhouden en is ze nog succesvol ook met de door haar ontwikkelde kreukvrije wonderstoffen.

Aan de andere kant van de stad bij Spectra Fashions werkt Sally's dochter

Macy naast La Spectra en ook zij draagt een belangrijke steen bij aan het succes van het bedrijf. Ze is dapper genoeg om met aartsrivaal Thorne Forrester in
het huwelijk te treden en zelfs als ze niet meer is opgewassen tegen de druk en
de teleurstellingen weet ze haar waardigheid te behouden.
De opstandige Felicia Forrester durft haar moeder te tarten door voor de concurrentie aan de slag te gaan. Darla, de levendige secretaresse, is weliswaar
blond en sexy, maar ze bewijst dat zij haar gewicht in goud waard is door haar
undercover spionage-missies bij Forrester. En de elegante Karen is misschien
niet geliefd, maar ze weet wel een partnerschap in Spectra te verwerven en ze
is vastberaden het noodlijdende bedrijf weer op de been te helpen.
De eenzame vrouw die erin geslaagd is buiten de modestrijd te blijven is psychiater Taylor Hayes Forrester, een sterk en gevoelig personage, dat vastberaden is haar huwelijk te laten slagen, ondanks de tegenwerkingen van Brooke
en Stephanie. Om van Taylor een geloofwaardige medische professional te maken, heeft de soap een echte vrouwelijke psychiater ingehuurd als raadsvrouwe
voor de rol. Als Taylor al ooit begint te jammeren over Ridge praten zowel de
raadsvrouwe als de actrice met de schrijvers van de serie om hen te adviseren
over hoe zo'n professionele vrouw met dat soort problemen zou omgaan. Ze
legt hun uit dat een psychiater ook boos wordt en vecht voor wat ze wil. Echter, een professional zal dankzij haar relativeringsvermogen altijd in staat zijn
haar gevoel voor humor te bewaren.
De serie is niet altijd zo dichtbevolkt geweest door carrière- en doelgerichte
vrouwen. In de begindagen kende de serie slechts misleide, verwende, rijke
meisjes die alleen wisten hoe ze papa's geld uit moesten geven. De naïeve en
meelijwekkende Katie Logan maakte zich zorgen om haar huidprobleem en
probeerde wanhopig een afspraakje te maken; studente Brooke Logan wilde de
sociale ladder beklimmen en was uitsluitend geïnteresseerd in de Forrester-
clan; en de maagdelijke Caroline Spencer doolde doelloos van de ene echtgenoot naar de andere.
Maar na een paar jaar raakte de serie in een succesvol spoor: de schrijvers
maakten van de personages en hun verhalen een afspiegeling van de hedendaagse samenleving: de burgerlijke Logan-familie die vocht tegen de armoede
steeg op de sociale ladder; Brooke nam een baan als chemica in het Forrester-
lab; Stephanie hield op de huissloof te spelen en ging bij haar man werken; en
Caroline werd uitgeefster van haar eigen tijdschrift. De vrouwen van *B & B*
rukten op als werkende professionals. Hoofdschrijver Bradley Bell zegt dat de
verschuiving in de ontwikkeling van de personages werd veroorzaakt door de
uitstraling op het scherm van de actrices. 'De actrices die wij hebben, hebben
zulke dynamische kwaliteiten dat ze erom vragen om werk te hebben – ze zijn
gewoon niet geloofwaardig als passieve huisvrouwtjes,' zegt hij.
Andere Amerikaanse soaps hebben knappe mannen als intelligente helden zonder angst. Ze zoeken voortdurend naar jonge acteurs die de hitsige tiener-ver-
haallijn gestalte moeten geven. Maar *B & B* heeft zich altijd tegen die trend

verzet en de actie-avontuur-liefde-op-de-vlucht-verhalen vermeden. Toch blijven ze een publiek van alle leeftijden trekken – zelfs al zijn de meeste castleden dertig plus. 'Ik had er niet eens zo bij stilgestaan, maar we gaan in dat opzicht beslist tegen de draad in,' beaamt Bradley. 'Traditiegetrouw worden de personages door mannen gedomineerd, maar de Forrester-familie heeft absoluut een sterke matriarch (Stephanie). Wederom denk ik dat het terug te voeren is op onze actrices die de schrijvers in die richting geduwd hebben omdat ze zo sterk en wilskrachtig zijn.'

In het begin beloofde de serie een verhaal over de sexy Forrester-mannen te worden, omlijst door de vrouwen die in hun leven circuleerden. Gelukkig werd het een serie over de vrouwen, omlijst door de Forrester-mannen. Dat die aanpak succesvol is, blijkt uit de kijkcijfers: in Amerika staat *B & B* continu in de top-vier van de dagseries en de soap heeft door de jaren heen een dramatische toename in kijkers beleefd, vooral onder vrouwen van 18 tot 49.

'Waarschijnlijk is de belangrijkste reden voor de stijging in kijkcijfers dat vrouwen het leuk vinden zichzelf positief afgeschilderd te zien. Vrouwen zijn veel gelukkiger met vrouwen in progressieve rollen dan met vrouwen die ondergeschikt zijn aan mannen,' zegt Nicole Perlman, vice-president van de National Organization for Women (NOW). 'Het is echt verfrissend als je in de media actieve vrouwen ziet waar dat anders niet het geval is. Om vrouwen uitsluitend als aanhangsel van mannen te zien, vind ik achterhaald en zeer ongelukkig.'

'Elke vrouw in onze serie krijgt een heel realistisch soort carrière zoals vrouwen die vandaag de dag hebben,' constateert Hunter Tylo. 'De realiteit is dat vrouwen tegenwoordig werken en als soaps die realiteit niet laten zien of gebruiken, is dat verontrustend. We leven niet meer in de jaren '50. Moeders kunnen niet in de keuken staan of een beetje rondtrippelen met een parelketting om de hals. De meeste mensen die me schrijven vertellen me dat ze me 's nachts op video bekijken of tijdens hun lunchpauze... dus het zijn werkende mensen.'

Bradley hoefde niet ver te zoeken voor de inspiratie om zulke solide vrouwelijke personages te creëren. 'Het is waarschijnlijk terug te voeren op onze familie,' onthult hij. 'Ik ben opgevoed door mijn moeder (*B & B*'s medeschepper Lee Phillip Bell) die altijd werkte en een gezin grootbracht. Ik weet niet beter. Onze hele familie werkt met elkaar: mijn zus, mijn vrouw. En we houden ervan vrouwen met diezelfde kwaliteiten te portretteren.'

Nu de vrouwen van *B & B* stevig zijn gesetteld in hun carrières wordt er meer moeite gedaan om ze tot vriendinnen te maken. Dat zal niet meevallen, want dreigde Stephanie niet dat ze de arm van de zwangere Brooke zou breken? En staan Sally en Stephanie niet op voet van oorlog? Taylor, Brooke en Stephanie konden elkaar altijd al niet luchten of zien en Felicia heeft zo haar problemen met Macy. Eigenlijk waren Sally en Darla heel lang de enige vriendinnen in de soap, maar langzaam maar zeker worden ook Karen en Brooke vriendinnen en Taylor kan het uiteindelijk toch goed vinden met haar schoonmoeder Stephanie. 'Het is iets wat we niet eerder verkend hebben, maar het is fascinerend,' zegt Bradley. 'Twee vrouwen die vriendinnen zijn en met elkaar praten over wat er in hun leven gebeurt, dat is heel interessant en *echt*. Taylor is echt de eerste sinds Caroline met wie Stephanie vriendschap sluit en Stephanie is heel wantrouwend tegen mensen tot ze hen echt leert kennen.'

Joanna Johnson, die zichzelf als feministe beschouwt, ziet de verzustering van de vrouwelijke personages als een positieve stap. 'Het is niet verantwoord altijd verhalen te schrijven waarin vrouwen zulke slachtoffers zijn van de grillen van mannen. Daar houd ik niet van,' zegt ze. 'En vrouwen tegen vrouwen. Daar houd ik ook niet van. Vrouwen zouden elkaar moeten steunen. Het kan me niet schelen wat een ander zegt, entertainment is opvoeding en het beïnvloedt meningen. Het leven imiteert kunst net zozeer als kunst het leven imiteert. Het is een relatie met tweerichtingverkeer. En de acteurs en schrijvers dragen daarvoor de verantwoording.'

Hunter is het hier roerend mee eens en voegt eraan toe dat televisie de kijkers voorbeelden aanreikt. In haar vorige baan bij *ALL MY CHILDREN* gaf ze een blonde bimbo gestalte en ze is blij dat ze van dat stereotype af is. 'Het is goed dat ze intelligente en grappige vrouwen laten zien die hun eigen boontjes kunnen doppen. Deze vrouwen dag in dag uit te zien overleven en *winnen* is stimulerend voor zowel mannen als vrouwen die voorbeelden zoeken. Het is echt bemoedigend voor veel jonge vrouwen,' zegt ze. 'Toen ik opgroeide, keek ik veel t.v. en om je de waarheid te zeggen, dacht ik dat er maar twee mogelijkheden waren: de meisjes krijgen kinderen en de jongens moeten in dienst en gaan oorlog voeren. Ik dacht dus niet dat je veel keuzes had in het leven en dat was nogal deprimerend. Het is prettig om tot de ontdekking te komen dat je nu echt een fantastisch perspectief hebt.'

'Ik denk dat onze serie verschillende sterke rolmodellen aandraagt, zoals Taylor en Brooke, sterke vrouwen die vechten voor wat ze willen,' zegt Kimberlin. 'Ik weet niet zeker of iemand Sheila tot voorbeeld zou willen, maar ze kan een rolmodel zijn voor mensen die problemen hebben gehad in hun leven. Ze zouden in haar kunnen zien dat je kunt veranderen als je dat echt wilt.'

Nicole Perlman van NOW houdt zich niet alleen bezig met hoe de t.v.-series vrouwen presenteren, maar ook met hoe mannen worden afgeschilderd in relatie tot vrouwen. 'Ik denk dat het belangrijk is dat mannen betrokken zijn bij zowel het huishouden als het ouderschap,' zegt Nicole. 'Alleen al om vrouwelijke kijkers te laten weten dat het helemaal niet gek is als je van je man verwacht dat hij een gelijk deel van die taken op zich neemt.' Wat dat betreft blijft *B & B* helaas wat achter. Natuurlijk, Eric is een goede, plichtsgetrouwe vader, maar als het op het huishouden aankomt, komt Maria, de werkster van de Forresters, eraan te pas. Ridge en Thorne kunnen koken – ze hebben hun respectieve dames wel eens een romantisch diner voorgeschoteld – maar wassen ze ook af?

Barbra Streisand, Meryl Streep en vele andere topactrices hebben de filmindustrie bekritiseerd vanwege een tekort aan positieve vrouwenrollen. Terecht, want de filmindustrie wordt inderdaad gedomineerd door mannelijke actietypes. 'Het is noodzakelijk dat er niet alleen mannelijke helden zijn die de gekwelde meiskes smoorverliefd laten worden. Er moeten ook vrouwen komen die andere vrouwen laten zien dat je wat dan ook kunt doen,' zegt Hunter stellig. 'Ik zou ook graag films zien die niet altijd draaien om vrouwen die sexy en mooi zijn. Ik houd van Kathy Bates (*Misery*), omdat ik vind dat ze zulke prachtige personages speelt. Ik raak door die vrouw geboeid en daarvoor hoeft ze heus haar kleren niet uit te trekken of sexy te zijn. Ik denk dat er meer rollen moeten komen die laten zien dat vrouwen kinderen kunnen opvoeden, dat ze kunnen werken, dat ze een eigen leven kunnen hebben.'

Terwijl de filmrollen voor vrouwen dun gezaaid zijn, blijft het aantal vrouwenrollen bij televisie stijgen. 'Er zijn nauwelijks filmrollen voor vrouwen,' constateert Kimberlin. 'De televisie is dan ook mijn enige podium en ik moet zeggen, ik ben er dolgelukkig mee en ik denk dat de meeste vrouwen bij t.v. je hetzelfde zullen vertellen. We krijgen hier meer werk dan waar anders ook.'

Nicole zegt dat NOW de toename van vrouwenrollen bij de televisie beschouwt als een positieve trend. 'Hopelijk is de stijging in kijkcijfers van series als *THE BOLD AND THE BEAUTIFUL* voor schrijvers en producers van televisie een voorbeeld, maakt het hun duidelijk dat vrouwen zichzelf weerspiegeld willen zien,' zegt ze. 'Professionals willen professionals zien en vrouwen die ervoor kiezen thuis te blijven willen kijken naar positieve vrouwen die ervoor kiezen thuis te blijven. En de allerbeste afspiegeling van alle vrouwen samen is een serie waarin al die verschillende rollen die we spelen aan bod komen.'

JAAR ZES

'Caroline... ben jij het?'

Brooke en Eric hebben samen een laatste diner op de laatste dag van hun over-eenkomst. Ze halen herinneringen op aan het afgelopen jaar en aan alle mooie momenten. Eric spreekt zijn liefde voor zijn vrouw uit, maar zij houdt vol dat hun huwelijk voorbij is. Eric vertrekt 's morgens in tranen.
Het lijkt erop dat Brooke en Ridge eindelijk samen kunnen zijn, maar ze stel-len samenwonen uit om Eric Jr. de kans te geven aan het idee te wennen. Na-dat hij met Taylor heeft gesproken besluit Eric terug te keren naar het apparte-ment om Eric Jr. aan het idee van zijn afwezigheid te laten wennen. Als de peuter op een meubelstuk klautert, redt Eric hem net op tijd, maar wordt zelf geraakt door het meubel en raakt bewusteloos.
In het ziekenhuis is Eric tijdelijk blind doordat de oogzenuw is beschadigd. Ridge kijkt verdrietig toe hoe Brooke aan de zijde staat van de man die haar zoon heeft gered. Ridge wendt zich tot Taylor als hij zich realiseert dat hij Brooke moet loslaten voor het welzijn van zijn vader. Als Erics gezichtsvermo-gen terugkeert, aarzelt hij om dit wereldkundig te maken.

Felicia ontdekt het dossier Forrester Project X in Darla's bureau en de pop-pen zijn aan het dansen. De Forresters dreigen Sally met juridische stappen als zij een kreukvrij produkt gaat produceren. Macy is verpletterd als ze ver-neemt dat zij de hoofdverdachte is in de spionagezaak, omdat het Thornes dos-sier is dat werd gestolen. Sally gelast de modeshow af vanwege Macy's reactie. Spectra-ontwerpen die zijn gemaakt volgens de formule worden evenwel per ongeluk naar winkels in L.A. verscheept en een ervan belandt in Margo's han-den.
Macy wordt gearresteerd wegens bedrijfsspionage en op borgtocht vrijgelaten. Thorne gelooft dat Jake het dossier uit zijn kantoor gestolen kan hebben op de dag dat ze vochten, maar Felicia komt op voor haar vriend. Jake ziet Macy en Thorne samen in de Bikini Bar en realiseert zich dat hij nooit Macy's hart zal kunnen winnen. Hij gaat naar de politie en bekent dat hij degene is die het dos-sier van Project X heeft gestolen – ook al deed hij dat niet. Margo smeekt Eric de aanklacht tegen Jake in te trekken en dat doet hij, maar Jake weigert Macy de waarheid te vertellen. Jake beschuldigt Clarke van het stelen van de formule en stompt hem in de maag voor hij vertrekt naar Madison, Wisconsin.
Margo spreekt Bills ontvoerde en jarenlang doodgewaande tweelingdochter Ka-ren en ze realiseert zich waarom hij zo'n ongelukkige, gecompliceerde man is. Margo beëindigt haar liefdeloze huwelijk met Bill en vertrekt met Jake naar

Madison. Blake brengt Faith (Karen) naar Los Angeles en houdt haar verborgen terwijl hij informatie verzamelt over Carolines leven. Bill hoopt Faith te kunnen gebruiken in een poging Ridge weg te lokken van Taylor en doet zijn uiterste best om het provinciaalse meisje net zo wereldwijs te maken als haar zus.

Stephanie is gastvrouw van een gemaskerd bal om geld in te zamelen om de thuislozen te voeden. De Spectra's zijn uiteraard niet uitgenodigd, maar weten toch binnen te komen. De gastvrouw is gekleed als een Franse jonkvrouw; Taylor arriveert als Mata Hari; Brooke en Eric komen als Breathless Mahoney en Dick Tracy; en Faith arriveert als een gemaskerde Assepoester. Blake trekt Taylor snel de dansvloer op en laat Faith alleen zodat ze indruk kan maken op Ridge.
Op het bal zet Sally, verkleed als Scarlet O'Hara, Eric klem en gooit per ongeluk een vaas omver. Eric grijpt er instinctief naar en Sally verklapt het goede nieuws over zijn herstelde gezichtsvermogen. Brooke en Ridge zetten hun plan om samen te gaan wonen door, maar als Brooke bij Ridge thuis arriveert, ligt hij in bed met een vroegere vriendin – een truc die hij uithaalt om Brooke terug te drijven naar Eric, de man bij wie ze volgens Ridge hoort.
Stephanie is woedend op haar zoon voor het terugsturen van Brooke naar Eric en Ridge vertelt zijn moeder dat het tijd is om verder te gaan met haar leven en niet langer te jammeren over het verleden. Hij ontdekt dat Taylor is vertrokken voor een vakantie op St. Thomas en gaat er ook heen. Het kost enige moeite, maar Ridge overtuigt Taylor dat hij over Brooke heen is en vraagt haar met hem te trouwen. Hoewel ze weet dat hij waarschijnlijk altijd verliefd zal blijven op Brooke aanvaardt ze toch zijn aanzoek.

Bill is geschokt te vernemen dat zijn vermiste dochter Karen nog leeft. Ridge kan niet geloven dat Caroline een tweelingzus had, maar accepteert Karen van harte in de familie. Bill waarschuwt Ridge uit de buurt te blijven van zijn dochter, maar Blake drijft Karen heel gauw tot flirten met Ridge. Vlak voor zijn huwelijk geeft Karen Ridge een kus en hij beantwoordt die. Brooke smeekt Ridge het huwelijk af te gelasten en bij haar terug te komen.
Kristen Forrester keert terug naar L.A. voor het huwelijk van haar broer – en verkondigt dat ze over Mick heen is. Taylors vader, Jack Hamilton, komt voor het huwelijk naar de stad. En haar lang verloren gewaande broer, Jack, leest in de krant over de aanstaande bruiloft en reist naar de stad om – bij wijze van verrassing – de huwelijksplechtigheid bij te wonen. Eric bedankt Ridge voor het redden van zijn huwelijk – Eric is dolgelukkig, te meer daar Brooke heeft ontdekt dat ze zwanger is.
In een prachtige plechtigheid in een kapel vlakbij Malibu geven Ridge en Taylor elkaar net hun 'ja'-woord als Brooke binnen komt stormen – te laat om de plechtigheid tegen te houden. Als ze Stephanie vertelt dat ze Ridge' kind

draagt, zweert Stephanie dat ze Brooke voor eens en altijd bij Forrester Creations weg zal krijgen.

Als Brooke Ridge vertelt dat ze zijn kind draagt, schokt Ridge haar door een vaderschapstest voor te stellen, aangezien Eric ook met Brooke heeft gevreeën. Taylor dreigt Brooke dat ze Ridge voorgoed van haar zal afpakken.

De mysterieuze Sheila Carter (uit *THE YOUNG & THE RESTLESS*) is ingehuurd als verpleegster bij Forrester. Ze maakt indruk op Eric met haar ideeën voor de Forrester-ziekenboeg en vindt heimelijk dat Brooke het niet verdient Eric te hebben. Ze vertelt Eric dingen waarvan ze weet dat ze zijn relatie met Brooke onder druk zullen zetten. Als ze zijn nek masseert, kussen de twee elkaar, maar Eric ziet haar slechts als een goede vriendin. In een poging definitief Erics leven binnen te komen regelt Sheila dat Eric Jr.'s kinderjuf, Judy, een lelijke val maakt en neemt ze het over als kinderjuf.

Nadat Eric en Brooke ruzie hebben gemaakt over het vaderschap van haar ongeboren kind trekt een ontstelde Eric zich terug in de sauna en treft daar Sheila aan. De twee delen een hartstochtelijk moment. Sheila dreigt Judy de stad uit te jagen en overtuigt Eric ervan met haar mee te gaan in het Turkse bad van de Forresters.

In de Bikini Bar gaan Zach en zijn maat Sly op Felicia en Kristen af. Zach gaat zo ver dat hij zich laat aanrijden door Felicia's auto om indruk op haar te maken. Felicia nodigt Zach uit in het landhuis te komen wonen tijdens zijn herstel. Terwijl hij dichter naar Felicia toegroeit, aanvaardt hij een managementsbaan bij de Bikini.

Jack Hamilton vindt Stephanie intrigerend en Eric hoopt de twee te koppelen. Als Jack aankomt voor het avondeten verdwijnt Zach om zijn vader te ontwijken. Jack accepteert een baan als Sally's accountant en Taylor onthult Ridge dat haar vader een gokprobleem heeft. Stephanie verwijdert eindelijk Erics trouwring van haar vinger – ze is klaar om verder te gaan in een relatie met Jack.

Zach duikt op bij Jacks appartement en slaat zijn vader in zijn gezicht. Hij geeft de gokverslaving van zijn vader de schuld voor het verwoesten van zijn leven. Ganz, een man uit Zachs verleden, bedreigt Felicia's veiligheid als Zach Jack niet vermoordt vanwege een gokschuld van 100.000 dollar.

Sly vertelt Zach dat hij Felicia zelf wil en Zach geeft hem een opdoffer. Later vrijen Felicia en Zach op het strand. Zach bekent Felicia dat hij zijn vader moet vermoorden en hij verbergt zich in Jacks appartement om toe te kunnen slaan. Geconfronteerd met zijn vader realiseert Zach zich dat hij hem niet dood kan schieten. Hij laat het bij een waarschuwing aan zijn vaders adres: hij mag Taylor of de Forresters niet manipuleren om aan gokgeld te komen.

Zach liegt tegen Ganz over het vermoorden van Jack. Ganz zegt dat hij Zach laat leven voor 100.000 dollar. Jack 'leent' 20.000 dollar van Spectra en gaat naar Las Vegas, alwaar hij kans ziet om met pokeren 100.000 dollar te winnen. Ganz ontdekt dat Felicia zich verstopt in de hut in Big Bear, maar Sly redt haar voor Ganz haar kan verkrachten. Ganz wordt weggejaagd en neemt de 100.000 dollar niet mee. Als Stephanie ontdekt in welk gevaar Zach Felicia heeft gebracht weigert ze haar dochter nog langer met Zach te laten omgaan – niet wetend dat Jack zijn vader is.

Clarke telt de dagen af tot zijn tweede huwelijksverjaardag met Sally – de dag waarop hij voor de helft eigenaar wordt van Spectra. Maar Kristens terugkeer blijft zijn gedachten afleiden. Hij bekent zijn ex-vrouw zijn liefde en koopt een Ferrari voor haar. Hij belooft Kristen dat hij na de trouwdag van Sally zal scheiden. Het pleit voor Kristen dat ze niet geïnteresseerd is in wat dan ook weer met hem aan te halen tot hij een vrij man is.

Darla hoort per ongeluk van Clarkes dubbelhartigheid en Sally zorgt ervoor dat Clarke het bedrijf niet krijgt. Op hun trouwdag zet Sally de klokken vooruit, zodat Clarke denkt dat hij het bedrijf bezit voordat het zover is. Hij kondigt ingrijpende veranderingen aan en verleidt Kristen, terwijl Sally het allemaal, voorzien van een tijdcode, op videoband vastlegt. Walgend van Clarke wijst Kristen hem de deur en Sally schopt hem het bedrijf uit. Jack troost een ontregelde Sally die meer en meer op de knappe accountant begint te vertrouwen.

Omdat het met Spectra snel bergafwaarts gaat, geeft Sally toch toe en ze geeft Clarke 51 procent van het bedrijf om de zaak te redden. Maar ze verbrandt het contract als zijn eisen te ver gaan en hij gebiedt Sally de naam van Clarke Jr. te veranderen. Sally is dankbaar als Jack haar te hulp komt met 100.000 dollar gokgeld om de crediteuren een tijd af te houden.

Ondersteboven omdat Taylor met Ridge is getrouwd bedenkt Blake zijn volgende zet met Karen. Maar zij realiseert zich dat ze onevenwichtig is geworden. Als ze aankondigt bij Bill in te trekken gijzelt de ontspoorde olieman haar. Bill en Thorne arriveren en redden Karen en Thorne is verbluft hoeveel ze op zijn voormalige vrouw lijkt. Macy voelt zich bedreigd door Thornes nieuwe toewijding aan deze vreemdelinge. Karen ervaart een identiteitscrisis – moet ze proberen Faith te zijn of Caroline, of Karen? – en ze wordt Taylors patiënte. Blake gaat terug naar Texas.

In de Bikini is Macy ontsteld dat ze Thorne en Karen samen ziet en ze is bepaald niet gelukkig als ze hen kussend aantreft bij een barbecue van de Forresters, maar ze zweert dat ze haar man terug zal winnen. Als beide vrouwen bij Thorne willen intrekken oppert Macy dat ze alle drie in het appartement met drie slaapkamers gaan wonen. Thorne wordt verwend door de twee vrouwen, aangezien ze allebei vechten om zijn aandacht en affectie – onder een losse 'niet-aanraken-regel'. Hij is opgewonden als hij verneemt dat Karen nog maagd is en vindt het moeilijk om te beslissen welke vrouw hij zal kiezen.

Bill en Darla gaan samen uit en houden hun relatie geheim. Maar het is voor allebei moeilijk in elkaars wereld te passen. Darla stelt voor dat Bill investeert in Sally's slecht lopende zaak en hij stemt toe. Macy is geschokt te vernemen dat Karen toezicht zal houden op Bills belang in Spectra, want dat betekent dat Karen haar baas wordt. Thorne neemt Karen mee uit dansen in de Bikini, zich niet bewust van het feit dat Macy er met de band zal optreden. Thorne is onder de indruk van de talenten van zijn vrouw.

Sally is geschokt door Karens nieuwe bedrijfsplan voor de zaak. Karen wil dat Spectra terugkeert naar de formule die hen succesvol heeft gemaakt: goedkope couture-imitaties in massaproductie. Sally begint te denken dat Jacks hart elders ligt en hij komt uit voor zijn relatie met Stephanie. Taylor licht haar vader in over de vete tussen de twee vrouwen en Jack weet dat hij de waarheid over zijn dubbelhartigheid aan Stephanie moet bekennen – maar Sally is hem voor.

Jack is van plan Stephanie ten huwelijk te vragen, maar realiseert zich dat hij de man is die zij indirect haat, omdat hij Zachs vader is – en dat weet zij niet. Felicia weigert Zach op te geven en Stephanie laat hem arresteren. Stephanie dumpt Jack en Sally raapt hem maar wat graag op, waardoor ze Sauls hart breekt. Als de politie Zach geen misdrijf ten laste kan leggen gaat Felicia er samen met hem vandoor, de stad uit. Sly neemt het over als manager van de Bikini.

Thorne kiest eindelijk tussen de twee vrouwen: hij blijft getrouwd met Macy. Jake Maclaine keert terug naar de stad voor een bezoek en vraagt Macy of zij samen een toekomst hebben, mocht Thorne voor Karen kiezen. Ze vertelt Jake dat ze altijd alleen maar van Thorne zal houden. Verdrietig kust hij haar ten afscheid – maar Thorne ziet de kus en denkt het ergste. Thorne besluit Karen te vertellen dat hij voor haar heeft gekozen en Macy is geschokt. Karen verliest uiteindelijk haar maagdelijkheid. Macy wendt zich tot een meevoelende Sly voor steun.

Boos omdat Thorne haar dochter gedumpt heeft, besluit Sally weer eens wraak te nemen op de Forresters en hun ontwerpen te stelen. Sally stuurt een vermomde Darla om undercover op de postkamer bij Forrester te gaan werken, onder de naam Camille. Sally dwingt Darla haar bedrog verborgen te houden voor Bill.

Ondersteboven omdat Ridge haar en haar ongeboren kind heeft afgewezen stort Brooke in op de trap van Forrester en wordt door Stephanie gevonden. Moeder en kind zijn in orde, maar Ridge realiseert zich zijn invloed op Brooke. Sheila en Stephanie zijn onwaarschijnlijke bondgenoten als het aankomt op het lozen van Brooke. Terwijl Brooke zich voorbereidt op haar vertrek naar Parijs, bekent Ridge dat hij loog over zijn gebrek aan gevoelens voor haar, opdat ze bij Eric zou blijven. Als hij zegt dat hij vastzit aan zijn huwelijk met Taylor gaan Brooke en Eric Jr. aan boord van het vliegtuig. Maar zonder dat iemand het weet stapt Brooke weer uit voor het toestel opstijgt. Ze blijft in L.A.

Sheila is dolenthousiast als ze verneemt dat Eric bezig is met de echtscheiding en zweert dat hij zich nooit meer laat gebruiken. Stephanie dreigt Sheila te ontslaan als ze Brooke niet definitief kwijtraakt.

Als Eric tegen Sheila liegt over een dinerafspraak met Brooke pakt Sheila hem terug door Brookes nieuwe stofformule uit de computer te wissen. De gefrustreerde Sheila gaat in therapie bij dr. Garvin, die oppert dat ze de confrontatie met haar verleden moet aangaan – wat neerkomt op Lauren Fenmore! In Genua verwisselde Sheila in het ziekenhuis Laurens pasgeboren baby met een stervend kind en ze probeerde Lauren te vermoorden. Bovendien denkt iedereen dat Sheila de dood heeft gevonden tijdens een brand.

Lauren, eigenaresse van een warenhuis in Genua, komt naar L.A. voor de Forrester-modeshow – en Eric is van plan Sheila als model in te zetten. Als Lauren een etentje afslaat om Erics nieuwe vriendin te ontmoeten besluit Sheila het initiatief te nemen en gaat ze naar Laurens hotelkamer. Niet in staat om om vergeving te smeken slaat Sheila Lauren bewusteloos en sluit haar op in een kast. Ze zal de trouwjapon – het finalestuk van de modeshow – tonen en later voor Lauren teruggaan. Maar Lauren bevrijdt zichzelf en waarschuwt de politie. Als ze met haar politie-escorte bij de Forrester-show arriveert, wijst ze Sheila aan en laat haar arresteren. De volgende dag wordt Sheila evenwel in een ziekenhuisbed wakker. Het hele bizarre spektakel blijkt slechts een nachtmerrie te zijn – Sheila kreeg op weg naar Lauren een auto-ongeluk en werd gewond naar het ziekenhuis afgevoerd. Ze is dus nog altijd een vrije vrouw en Lauren is teruggegaan naar Genua – zich verheugend op een ontmoeting met Erics nieuwe vriendin tijdens een volgend bezoek.

Brooke krijgt een gunstige beoordeling over haar nieuwe kreukvrije zijde en haast zich naar Ridge' huis om het goede nieuws te vertellen. Maar eenmaal aangekomen gluurt ze door het raam en ziet Taylor en Ridge kussen. Taylor betrapt haar en gaat naar haar toe, maar Brooke vertrekt gehaast. Taylor heeft het idee dat Brooke misschien geobsedeerd is door Ridge, maar geeft hem toch toestemming om met Brooke op promotietournee naar Europa te gaan.

Sheila gaat naar huis in Michigan om de confrontatie met haar moeder, Molly, aan te gaan, die denkt dat ze dood is. Ze probeert Molly's steun te winnen door vrede te sluiten met Lauren. Als ze terugkomt in L.A. is Sheila geschokt dat Eric zijn scheiding van Brooke heeft uitgesteld tot het vaderschap geregeld is. Brooke komt terug uit Europa en vindt Sheila gekleed in een sexy teddy. Eric bekent dat ze een verhouding hebben, maar zegt dat ze niet met elkaar naar bed zijn geweest. Sheila biedt zich aan als vrijwilligster in het ziekenhuis waar de vaderschapstest zal worden uitgevoerd en probeert uit te zoeken of ze zich toegang kan verschaffen tot het lab.

In Sheila's belang neemt Molly een baan aan als kinderjuf van Lauren Fenmore in Genua. Sheila bezoekt Genua in een poging Lauren te spreken en haar om vergeving te vragen voor haar illegale activiteiten, zodat ze een toekomst als mevrouw Eric Forrester kan hebben. Molly overtuigt haar echter dat het te vroeg is voor Lauren om te weten dat Sheila nog leeft. In plaats daarvan neemt Sheila een foto van Lauren terwijl ze een geheime minnaar omhelst, met het doel haar te chanteren. Sheila begint Lauren dan ook al snel stukjes van de foto te sturen als een soort afpersings-puzzel.

Aangezien Eric een relatie heeft met Sheila en Ridge met Taylor geeft de zwangere Brooke Stephanie de schuld haar van de familie vervreemd te hebben. Ze vertrekt naar de hut in Big Bear en Ridge maakt zich zorgen dat ze alleen is, met de datum van de bevalling zo dichtbij. Door een sneeuwstorm komt de hut zonder stroom en elektriciteit te zitten. En terwijl ze houtblokken voor het haardvuur verzamelt, valt het hout over Brooke heen. Ridge redt haar en belooft de verantwoording voor de baby op zich te nemen als die van hem is. Brooke krijgt weeën en Ridge moet zelf de verlossing doen! Taylor is onderweg naar de hut, maar kan er niet komen vanwege de sneeuw. Ridge bereikt de arts via de autotelefoon en zij leidt hem door de bevalling heen. Helikopters redden het drietal en Brooke verklaart dat ze haar pasgeboren dochter geen naam zal geven tot het vaderschap is uitgezocht.

JAAR ZEVEN

'Ik ga het Stephanie Forrester vertellen, recht voor z'n raap.'

Sheila flirt met Mike, een bewaker in het ziekenhuis, om toegang te verkrijgen tot het laboratorium waar de vaderschapstest wordt gedaan. Ze wil zich ervan overtuigen dat Ridge de biologische vader is van Brookes baby, zodat zij met Eric kan trouwen. Brooke zelf vermoedt dat Eric de vader van haar kind is. Terwijl Sheila de etiketten van de buisjes met bloed verwijdert, wordt ze betrapt door Mike. Door haar schrik weet ze niet meer in welk buisje wat zit en ze doet dus een gok als ze de etiketten er weer opplakt. Mike is razend en dreigt Sheila te verlinken. Overigens blijft Sheila intussen ook compromitterende puzzelstukjes naar Lauren Fenmore sturen.

Karen neemt Carolines dagboek mee naar Ridge en laat de passages zien waarin staat dat Caroline wilde dat Ridge met Brooke zou trouwen, omdat hun liefde oprechte liefde is die nooit voorbij zal gaan. Brooke is Karen dankbaar dat ze een goed woordje voor haar doet.

De Forresters verzamelen zich in het ziekenhuis voor de uitslag van de vaderschapstest. Ridge wordt als de vader aangewezen! Brooke en Sheila zijn verrukt van het nieuws. Taylor verbluft Brooke door te verklaren dat ze de baby zal behandelen alsof ze haar eigen dochter was. Brooke besluit haar dochter 'Bridget' te noemen – een combinatie van de namen van de ouders.

Taylor vermoedt dat Ridge naar Brooke en Bridget toegroeit, maar Ridge blijft Brooke op armlengte houden – hij benadrukt dat hij een gelukkig getrouwd man is.

Eric vertelt een dolgelukkige Sheila dat hij de echtscheiding van Brooke door zal zetten en vraagt haar met hem te trouwen. Sheila aanvaardt gretig, maar realiseert zich dat ze eerst Lauren af moet werken en stuurt haar nog een puzzelstukje. Stephanie hoopt op een verzoening met Eric, maar is verpletterd als hij zijn trouwplannen met Sheila aankondigt. Stephanie doet zijn aanstaande huwelijk af als een 'reactierelatie'.

Nu de echtscheiding van Brooke definitief is, dringt Eric er bij Sheila op aan met hem mee te gaan naar Lake Tahoe voor een 'spoedhuwelijk'. Sheila beweert dat ze Molly moet opzoeken om haar zegen te krijgen, maar in feite gaat ze naar Genua om Lauren op te zoeken. Tijdens haar afwezigheid komt Stephanie razendsnel in actie: ze wil haar relatie met Eric weer nieuw leven inblazen. Sheila is er zeker van dat haar chantageplan zal werken en dat Lauren zich rustig zal houden en ze keert terug naar L.A., klaar om de volgende mevrouw Forrester te worden. Echter, nu wil Eric het huwelijk nog wat uitstellen tot na de herfstmodeshow en Sheila krijgt het bange vermoeden dat Stephanie nog steeds greep op hem heeft.

Lauren Fenmore komt naar L.A. voor de modeshow en is geschokt als ze ontdekt dat de Sheila van Eric dezelfde Sheila is die haar zo kwelt. Sheila waarschuwt haar slachtoffer haar mond te houden of ze zal Laurens schandaleuze verhouding aan de grote klok hangen – de vrouw zal dan nooit meer de voogdij over haar eigen zoon krijgen. Lauren is razend en vertelt Sheila dat ze zich niet bang laat maken: iedereen zal de waarheid omtrent Sheila Carter horen! Maar als Lauren ziet hoeveel Eric van Sheila houdt, besluit ze dat ze Eric niet wil kwetsen door de waarheid te onthullen – nog niet, tenminste! Als Stephanie Lauren overtuigt dat ze Eric moet helpen voor het te laat is, begint Lauren Eric het hele verhaal te vertellen. Maar door een telefoontje uit Genua vertrekt Lauren hals over kop naar huis, want er zou nieuws zijn over de voogdij van haar zoon. Over Sheila's verleden tast Eric nog steeds in het duister.

Terwijl het huwelijk naderbij komt, verzamelt Stephanie haar troepen om Eric ervan te overtuigen dat hij een gigantische misstap begaat. Hij is woedend dat zijn hele familie tegen hem is en hij staat erop dat het huwelijk doorgaat. Hij ontwerpt een bruidsjurk voor Sheila, maar net als zij die staat te passen, meldt Lauren zich weer. Ze dreigt het hele smerige verhaal aan Eric te vertellen als Sheila het huwelijk niet afzegt. De dames vliegen elkaar in de haren en de trouwjapon scheurt. Lauren belooft Stephanie dat het huwelijk niet doorgaat, maar Sheila heeft nog steeds de chantage-negatieven die Lauren kunnen ruïneren.

Lauren en Stephanie zijn geschokt als het huwelijk toch door lijkt te gaan. Maar uit angst dat Lauren haar zal ontmaskeren laat Sheila een gekwetste Eric bij het altaar staan. Nadat iedereen is vertrokken verschijnt Sheila en legt uit dat ze niet kon trouwen in een zaal vol mensen die haar haten. Eric en Sheila trouwen in het geheim tijdens een privé-plechtigheid. Het paar gaat in een landhuis in gotische stijl wonen en zij richt het opnieuw in.

Nu Eric van de markt is verdwenen, blijft Brooke hoop houden dat Ridge met haar wil trouwen. Maar ze is ondersteboven als Ridge haar vertelt dat hij en Taylor kinderen willen.

Steve Crown, een advocaat gespecialiseerd in patentrecht, wordt door de Forresters ingehuurd om het patent voor BeLieF, Brookes kreukvrije stofformule, voorheen bekend als Project X, te regelen. Maar als Steve erachter komt dat Brooke geen contract heeft bij Forrester Creations zegt hij dat zij de enige eigenaar is van BeLieF. Ridge en Eric zijn het erover eens dat ze aardig moeten zijn tegen Brooke tot ze uit kunnen knobbelen wat ze moeten doen.

Brooke nodigt een oude vriend van de middelbare school, advocaat Connor Davis, uit voor een etentje om Ridge jaloers te maken en ze gaan elkaar aardig vinden. Ridge is altijd een rivaal van Connor geweest sinds ze in vijandige school-footballteams speelden. Stephanie draagt Steve op aan te pappen met Brooke – die niet weet dat hij voor Forrester werkt – zodat hij kan polsen hoe Brooke tegenover het Forrester-bedrijf staat. En in een poging om Brooke gunstig te stemmen geeft Stephanie een etentje waarvoor ze Brooke en Connor uitnodigt. Brooke is achterdochtig, maar Stephanie houdt vol dat het tijd is dat de twee vrouwen vriendinnen worden. Eric probeert op zijn beurt Steve en Brooke te koppelen en Ridge is jaloers. Steve gaat naar Brookes luxe appartement en geeft haar een massage èn een kus. Advocaat Connor maakt zich intussen zorgen over het ongewoon vriendelijke gedrag van de Forresters en denkt dat ze iets van plan zijn.

Eric is bang dat Ridge' gevoelens voor Brooke de zaak zullen belemmeren en hij stuurt zijn zoon voor zaken naar Monte Carlo, zodat hij de romance tussen Steve en Brooke niet in de weg kan staan. Ridge besluit dat hij tijdens zijn afwezigheid voor eens en altijd een keuze zal maken tussen de twee vrouwen in zijn leven. Brooke is er zeker van dat Ridge haar zal kiezen.

Nadat hij gevraagd heeft om een kopie van het BeLieF patent-dossier realiseert Connor zich dat de Forresters Brooke proberen te beduvelen, maar hij slaagt er niet in om haar daarvan te overtuigen.

Steve vertelt Eric en Stephanie dat ze Brooke onmiddellijk een contract moeten laten tekenen zodat de nieuwe stof van hen wordt en ze kiezen Ridge uit om het smerige karwei op te knappen. Ridge heeft intussen beslist en hij ontmoet Brooke voor een etentje. Hij vraagt haar de documenten te tekenen en zij leest ze niet eens. Hij schokt haar door te zeggen dat hij bij Taylor blijft en dan grist hij zijn kopie van het contract, waarmee ze afstand doet van haar rechten op BeLieF, mee en vertrekt. Connor is blij te vernemen dat hij de verkeerde kopie van het contract heeft meegenomen en dat Brooke nog steeds de kopie met haar handtekening in haar bezit heeft. Brooke weet nu dat Ridge en zijn familie hebben geprobeerd haar te bedotten en Connor moedigt haar aan de Forresters te straffen. Sheila probeert nog te bemiddelen, maar Brooke is vastberaden Stephanie te gronde te richten.

Wetend dat ze BeLieF van de Forresters zou kunnen afpakken, wat hun miljoenen zou kosten, belegt Brooke een vergadering met de familie. Ze vertelt hun dat ze afstand zal doen van haar rechten als 1) Stephanie haar excuses aanbiedt en 2) de Forresters beloven haar nooit meer te misleiden. De familie stemt in en Brooke wil net het contract tekenen als Steve het kantoor binnen komt stormen. Brooke realiseert zich dat Steve een spion voor de Forresters is en vliegt Stephanie in de haren. De maat is vol: Brooke zweert dat ze de formule nooit uit handen zal geven.

Sally vraagt Brooke BeLieF mee naar Spectra te nemen. Eric doet nog een poging de zaak te redden en biedt Brooke 3,5 miljoen dollar voor de formule, maar ze wijst het aanbod af. Connor denkt dat zijn relatie met Brooke nooit meer dan alleen zakelijk zal zijn en begint met Karen uit te gaan. Maar Brooke verbaast hem door toe te geven dat ze verlangt naar een intiemere relatie met hem en de twee gaan met elkaar naar bed. Karens hart is gebroken.

De stress vanwege het gevecht om BeLieF eist zijn tol: Eric krijgt hartklachten. Brooke wijst een aanbod van 10 miljoen dollar af met de mededeling dat geen enkel bedrag de pijn die ze geleden heeft kan uitwissen. In plaats daarvan wil ze 51 procent van het bedrijf. Eric krijgt 24 uur om te beslissen – anders gaat Brooke met BeLieF naar de concurrentie. Stephanie realiseert zich dat het haar schuld is dat de familie in deze ellende zit en gaat naar Brooke toe om haar eigen aandelen in het bedrijf aan te bieden, wat neerkomt op 30 procent. Brooke houdt vast aan de 51 procent en verrast iedereen door Sheila in te huren als contactpersoon tussen haar en de familie. Brooke herinnert Sheila eraan dat ze nu voor haar, en niet voor Eric, werkt. Sheila's eerste opdracht: werk Stephanie het bedrijf uit zodat Brooke het kan overnemen.

Karen realiseert zich dat Thorne alleen maar voor haar koos omdat hij ten onrechte dacht dat Macy en Jake nog steeds een verhouding hadden. Thorne geeft Sly intussen zijn zegen om werk te maken van Macy. Sly huurt Keith in als barkeeper van de Bikini en gebruikt Keith' poëtische vaardigheden om Macy's hart te winnen. Keith is jaloers dat Sly Macy krijgt en hij niet. Macy zingt 'Poetry Man' voor Sly en Keith is gekwetst.

Macy stuurt Thorne op band een boodschap voor een ontmoeting voor ze de echtscheiding doorzetten. Ze hoopt nog altijd op een verzoening. Darla vertelt Karen over Macy's plan en Karen vertelt het aan Bill. Bill wil dat zijn dochter gelukkig wordt en verwisselt het bandje. Thorne krijgt een blanco cassette. Als Macy's verzoek onbeantwoord blijft, wordt zij dronken in de Bikini. Keith draagt haar naar huis. Sly geeft Macy een vaste aanstelling als zangeres in de bar en ze viert het door dronken te worden. Sly negeert Keith' theorie dat Macy een drankprobleem heeft. Tijdens het zingen ziet Macy Thorne en Karen samen. Ze valt dronken van het podium en Thorne probeert te helpen, maar Sly zegt hem op te donderen.

Als Keith zijn gevoelens voor Macy aan Sly bekent, dreigt Sly hem te ontslaan als hij maar naar Macy durft te kijken. Sally is bezorgd om Macy's drankgebruik, maar Macy houdt tegen beter weten in vol dat ze van de drank af is. Macy trekt bij Sly in die boven de Bikini-bar woont. Hij probeert Macy te helpen, maar hij slaagt er niet in haar ervan te doordringen dat ze een drankprobleem heeft. Met tegenzin geeft Sly de verstandelijk gehandicapte Kevin, de broer van Keith, een baan als loopjongen bij de Bikini.

Karen vraagt Thorne om een verbintenis, maar Thorne wil erachter komen of hij echt niets meer voelt voor Macy. Hij zoekt haar op in de Bikini en ze vertelt hem dat ze nog steeds van hem houdt, maar hij is bang dat het de alcohol is die praat. Sly manipuleert de situatie om Thorne en Macy bij elkaar weg te houden, zodat Macy bij hem zal blijven. Karen realiseert zich dat Thorne Macy nog niet is vergeten en vertrekt uit het appartement.

Keith gaat naar Sally, Jack en Darla om hulp te krijgen voor Macy's drankprobleem. Sly zal Macy intussen niet meer lastig vallen, in de hoop dat hij haar niet verder van zich vervreemdt. Sally hanteert een ruwe liefdesbenadering en gooit Macy buiten als ze drank ruikt. Thorne en Sly vinden Macy liggend in een berg afval en Thorne zweert dat hij haar zal helpen en beschermen. Macy trekt weer bij Thorne in en zweert de alcohol af, maar Thorne weet dat het niet zo eenvoudig kan zijn. De twee besluiten de echtscheiding niet door te zetten.

Kevin ziet Macy drinken en ze neemt hem mee uit rijden om hem over te halen z' mond te houden over haar drankgebruik. Maar het ritje heeft een fatale afloop: Macy rijdt haar auto in de prak en Kevin en zij worden in kritieke toestand in het ziekenhuis opgenomen. Kevin heeft een gat in zijn long, maar Macy is er beter vanaf gekomen: haar toestand is al gauw stabiel. Ze is stomverbaasd als ze verneemt dat ze ten tijde van het ongeluk dronken was. Kevin komt goed door de operatie heen en Thorne belt de Anonieme Alcoholisten voor Macy.

Keith onthult dat hij de dichter is van de liefdesgedichten die Sly aan Macy stuurde. Macy krijgt overigens alle steun en liefde van haar familie en vrienden in haar strijd tegen de drank. Met de Bikini Bar gaat het niet zo goed: om financiële redenen moet Sly zowel Kevin als Keith ontslaan.

Sally is terecht bang dat Jack nog wat voor Stephanie voelt. Darla blijft bij Forrester spioneren onder de naam Camille en geeft Sally drie Forrester-ontwerpen. Karen realiseert zich niet dat de ontwerpen gestolen zijn en is erg enthousiast: de ontwerpen zullen het bedrijf rijk maken. Sally is ook dolgelukkig, want Jack vraagt haar met hem te trouwen. Maar als Jack op bezoek is bij Taylor om zijn dochter ervan te overtuigen dat zij Sally een kans moet geven, ziet hij bij toeval dat de ontwerpen van Sally's herfstshow identiek zijn aan die van Ridge. Jack dreigt daarop Sally: als ze de gestolen ontwerpen durft te laten zien zal hij haar verlaten. Sally realiseert zich dat liefde belangrijker is dan zaken en ze trekt de japonnen terug uit de show. Als Karen echter toch de imitatie Forrester-ontwerpen in een modetijdschrift ziet, is ze razend en beschuldigt ze Sally ervan dat ze het bedrijf ruïneert. Voortaan, benadrukt ze, mag Sally uitsluitend handelen in opdracht van haar!

Stephanie denkt dat Jack iets te maken had met het stelen van de Forrester-ontwerpen, maar Thorne vertelt zijn moeder dat Jack juist de held was. Stephanie bezoekt Jack op zijn kantoor en er is nog steeds iets tussen hen. Sally maakt zich zorgen dat Stephanie weer achter Jack aan zal gaan nu Eric niet beschikbaar is.

Macy geeft een vrijgezellenfeest voor Sally in de Taxi Bar, compleet met mannelijke strippers en het beroemde model Fabio. Op de trouwdag zien Sally en Saul dat Jack Stephanie een tedere afscheidskus geeft. Sally is geschokt en zegt het huwelijk af. Tegen de tijd dat Sally weer bij zinnen is en besluit het huwelijk toch door te zetten zegt Stephanie dat Jack niet meer vrij is. In paniek beweert Sally dat ze zwanger is. Jack gelooft haar niet en dwingt haar thuis een zwangerschapstest te doen. Darla geeft de test stiekem aan een zwangere naaister bij Spectra – als de test positief terugkomt, kan Jack zijn ogen amper geloven. Sally realiseert zich dat ze echt zwanger moet worden om Jack te behouden. Stephanie vertelt Jack dat hij moet doen wat goed is voor zijn 'baby', maar ontdekt al gauw dat Sally niet zwanger is. Terwijl Stephanie zich haast om Jack ervan te weerhouden met Sally te vrijen, neemt Sally hem mee naar een hotel waar ze ongestoord de liefde kunnen bedrijven. Stephanie weet hen echter op te sporen en onthult de waarheid, waarna Jack met Sally breekt.

Connor geeft Brooke een verlovingsring, maar Brooke is niet toe aan een verbintenis. Denkend dat hij is afgewezen vraagt Connor Karen mee uit, wat Sheila stiekem afluistert. Om Connor betaald te zetten dat hij het haar zo moeilijk heeft gemaakt verlinkt Sheila hem bij Brooke. Brooke stapt met die kennis naar Karen, maar die zegt dat zij en Connor gewoon goede vrienden zijn. Sheila baalt als ze verneemt dat Connor van plan is in Brookes leven te blijven. Maar als Brooke hem bekent dat ze de waarheid omtrent het vaderschap van Bridget voor hem verborgen heeft gehouden, verlaat Connor haar. Hij voelt zich verraden.

Vast van plan om het bedrijf van zijn familie weer op te bouwen, beraamt Ridge een plan om Brooke over te halen. Hij belooft Taylor dat het hun huwelijk niet zal aantasten. Brooke besluit dat Forrester een mannenkledinglijn zou moeten hebben en Ridge vraagt haar als ontwerpster – in de hoop dat hij haar vertrouwen kan winnen. Eric is niet gelukkig dat het bedrijf zich verwijdert van elegante vrouwenmode.

Mike, de beveiligingsbeambte van het ziekenhuis, duikt op bij Forrester in de veronderstelling dat Sheila hem de baan van hoofd beveiliging aanbiedt – want anders zal hij haar verraden! Sheila geeft Mike de baan en laat hem dan aanvallen door een dobermannpinscher. Mike kalmeert de hond en laat hem Sheila aanvallen, voor hij de hond tot de orde roept. Sheila dreigt Mike te gronde te richten als hij haar bij de Forresters verlinkt.

Sheila ontdekt dat Scott Grainger (haar wettige echtgenoot in Genua) in slechte gezondheid verkeert. Ze gaat terug en confronteert de zieke man met het nieuws dat ze nog leeft. Scott is geschokt Sheila te zien – wetend dat ze zijn kind met Lauren heeft gekidnapt en geprobeerd heeft het te vermoorden – maar vergeeft het haar als hij zich realiseert dat ze echt van hem houdt en alles uit liefde voor hem heeft gedaan. Hij belooft haar dat hij haar niet zal verklikken.

Als Eric en Sheila en Scott en Lauren op vakantie zijn op het eiland Catalina komen de vier oog in oog met elkaar te staan. De kwakkelende Scott gedraagt zich alsof hij Sheila voor het eerst ontmoet, wat Lauren ziedend maakt. Op zijn sterfbed laat Scott Lauren beloven dat ze Sheila met rust laat en het verleden laat rusten. Eric heeft intussen niets door, ook al gebeurt er van alles pal onder zijn neus.

Taylor wordt verrast door een bezoek van haar vroegere professor aan de universiteit, dr. James Warwich. Hij vraagt Taylor hem als patiënt aan te nemen. James lijkt wanhopig over zijn kwakkelende vriendin Sophia. Taylor maakt zich zorgen als James weigert het adres van zijn moeder in zijn dossier te vermelden. Taylor laat haar secretaresse James' familie in Elgin, Schotland, opsporen en ontdekt dat zijn moeder dood is, maar dat zijn vader, Damon, nog leeft – in tegenstelling tot wat James aan Taylor vertelde.
Ridge is jaloers als Taylor hem vertelt dat ze naar Schotland gaat om te ontdekken wat James echt mankeert – en James verrast haar door mee te gaan. Ridge is hierdoor verontrust en Brooke gebruikt de situatie door veel tijd met Ridge door te brengen terwijl Taylor weg is. Taylor ontdekt dat James en Damon elkaar de schuld geven van de dood van zijn moeder, die stierf toen James werd geboren. Damon heeft zijn zoon in zijn jeugd misbruikt bij wijze van straf. Zijn vriendin Sophia, realiseert Taylor zich, is een fantasievervangster voor de moeder en het was Sophia die James geholpen heeft om iets van zijn leven te maken. James en Damon komen in het reine met hun relatie en verbeteren die.

Boos omdat Thorne weigert haar als lid van de familie te accepteren gaat Sheila met Macy lunchen in de Taxi Bar en doet stiekem wodka in haar jus d'orange. Macy bestelt vervolgens een tequila, en een onbekende man, Anthony Armando, brengt de dronken vrouw naar huis. Hij kust haar impulsief welterusten terwijl Thorne binnenkomt. Macy is van slag bij het idee dat Anthony misbruik heeft gemaakt van de situatie. Thorne heeft moeite Macy te vertrouwen en de twee zijn weer gescheiden.
Bill Spencer, uit z'n hum omdat Spectra geen winst maakt, geeft Sally 24 uur om een flitsende nieuwe ontwerper te vinden. Karen voert een sollicitatiegesprek met de snelle Anthony als nieuwe ontwerper voor Spectra en neemt hem aan, zeer tegen Macy's zin. Sally draagt de twee kemphanen op hun geschillen bij te leggen en samen te werken. Macy is diep geroerd als Anthony haar vrienden, Kevin en Keith, inhuurt als zijn assistenten.
Sally is van plan bij de Forrester modeshow 'Saluut aan Hollywood' te infiltreren met acteur Charlton Heston. Sally komt op goede voet met meneer Heston en overtuigt hem ervan dat als de twee modehuizen samenwerken ze meer geld kunnen inzamelen voor het American Film Institute. Sally besluit het label Armando Fashions te gebruiken zodat de Forresters haar plannetje pas zullen ontdekken als het te laat is. De met sterren overladen show is een succes en Spectra's ontwerpen krijgen juichende recensies.

Thorne en Macy stemmen in met een ontmoeting na de show, maar als Thorne ontdekt hoe Macy's moeder de gebeurtenis gemanipuleerd heeft, weigert hij tegen haar te spreken en vraagt om een echtscheiding. Na het succes van de show kussen Ridge en Brooke elkaar. Een fotograaf legt het moment vast en de foto verschijnt in schandaalbladen over de hele wereld – en wordt gezien door een woedende Taylor.

Macy gaat Anthony aardig vinden, maar als hij woonruimte nodig heeft en hij bij Sally gaat logeren wordt de situatie penibel. Zowel Sally als haar zoon C.J. worden afhankelijk van Anthony en Sally denkt dat ze een romantische toekomst heeft met de ontwerper. Terwijl Macy en Anthony achter haar rug om een romance beginnen, proberen ze een manier te zoeken om het Sally voorzichtig te vertellen.

Terwijl Brooke haar beste beentje voorzet om Ridge terug te winnen, wordt Connor haar spelletjes zat en kiest hij voor Karen. Maar Karen is er niet zeker van dat Connor zich wil binden in een langdurige relatie en ze test hem uit door te verklaren dat ze zwanger is – hetgeen niet zo is. Terwijl het erop lijkt dat Connor ervandoor wil gaan en Karen in de steek wil laten, roept hij stilletjes haar vrienden bij Spectra bij elkaar voor een verrassingshuwelijk. Karen maakt zich zorgen dat ze misschien te ver is gegaan, maar Macy dringt er bij haar op aan Connor te trouwen, omdat hij dat echt lijkt te willen. De kerkelijke plechtigheid vindt doorgang, maar voor het paar het wettig kan maken, voelt Karen zich genoodzaakt Connor de waarheid te vertellen. Hij is gekwetst door haar dubbelhartigheid en gelast het huwelijk af. Terwijl hij probeert zijn gevoelens voor Karen op een rijtje te zetten, zoekt hij romantische troost bij Darla.

Als Taylor en James in Amerika terugkomen, heeft Taylor heel wat uit te leggen over haar langdurige verblijf in Schotland op één kamer met James. En Ridge moet zijn vrouw overtuigen van het feit dat er tussen hem en Brooke niets is gebeurd. De twee lijken hun geschillen bij te leggen en zijn meer dan ooit van plan een gezin te stichten. James lijkt geïnteresseerd te zijn in Brooke en ze kussen elkaar na een etentje samen.

De Europese tak van Forrester in Parijs gaat het voor de wind en Eric vraagt Ridge en Taylor daarheen te verhuizen om de operatie te leiden. Taylor wil haar praktijk niet opgeven, maar Ridge biedt aan met Brooke te gaan als ze haar meerderheidsbelang in het bedrijf teruggeeft aan Eric. Brooke stemt in en Taylor is woedend dat haar echtgenoot met Brooke naar Parijs zal vertrekken.

Taylor zoekt troost bij James. De twee gaan een eind rijden en belanden in de skihut van de Forresters in Big Bear. Ridge stapt echter helemaal niet in het vliegtuig – Thorne neemt zijn plaats in! Brooke is ziedend dat ze niet met haar grote liefde samen zal reizen – en geeft haar aandelen in het bedrijf niet terug. Terwijl Taylor en James in de hut zitten, treft een zware aardbeving het gebied en de hut stort in. Ernstig gewond kruipen de twee dicht tegen elkaar aan om zich tegen de kou en de sneeuw te beschermen. James bekent dat hij wellicht als maagd sterft en aangezien het einde nabij lijkt, vrijt Taylor met hem.

Na een verwoede zoektocht naar zijn vermiste vrouw spoort Ridge haar bij de hut op en redt de twee. Brooke verzorgt James tot hij weer de oude is terwijl Taylor wordt verscheurd door twijfels vanwege het bedriegen van haar man. Op de avond voordat Taylor de stad verlaat om naar een congres van psychiaters in Cairo, Egypte, te gaan, verklaart Ridge haar zijn onsterfelijke liefde. Taylor laat voor Ridge een geëmotioneerd briefje achter waarin ze haar ontrouw opbiecht en ze hem smeekt haar te vergeven en er voor haar te zijn als ze terugkomt uit Egypte.

Jack vindt het briefje als eerste en Stephanie besluit dat Ridge de waarheid verteld moet worden. Maar voor ze de brief aan haar zoon kan overhandigen krijgt de familie het bericht dat een vliegtuig uit de Verenigde Staten in Cairo is neergestort. Taylor is dood!

SCHANDALEN DIE OPSCHUDDING VEROORZAAKTEN

Series als *BEVERLY HILLS 90210* en *DYNASTY* zijn berucht om hun capriolen achter de schermen en hun moeilijke, soms zelfs agressieve sterren. Logisch, want wanneer je een groep mensen – en acteurs in het bijzonder – samenbrengt, kun je rekenen op vuurwerk.

De cast van *B & B* vormt nu al acht jaar een familie. Ze zijn samen opgegroeid en ze zijn inmiddels in staat hun emoties onder controle te houden. Maar soms – heel soms – gebeurt er iets dat opschudding veroorzaakt.

Het botsen van de Bells

Bill en Lee Philip Bell hebben de soap gecreëerd en Bill schreef tijdens de beginjaren zelf de verhaallijn. Maar hun jongste zoon Bradley – toen begin 20 en net uit de collegebanken – werkte met zijn vader samen om het familievak te leren. Toen hij nog op school zat, droeg Bradley scripts en verhaalideeën aan bij zijn vader voor *THE YOUNG & THE RESTLESS*, maar die werden allemaal afgewezen omdat ze niet goed genoeg waren. Toen de Bells *B & B* creëerden, zette vader Bill zoonlief aan het werk bij zijn staf van schrijvers. Sommigen in de industrie gilden dat het vriendjespolitiek was, zeker omdat er vele andere getalenteerde en ervaren soap-schrijvers werkzoekend waren. Maar de familie Bell heeft die lasteraars altijd genegeerd: hun enige dochter heeft de vrouwelijke hoofdrol in *Y & R* en hun oudste zoon regelt hun zakelijke aangelegenheden.

Bradley dacht dat zijn bedje gespreid was toen zijn vader hem aan de staf toevoegde, maar realiseerde zich snel dat het leven als schrijver niet gemakkelijk voor hem was: zijn scripts werden uiterst kritisch bekeken, geredigeerd en aan flarden gescheurd door zijn vader. 'Ongeveer het hele eerste jaar heb ik hem verschrikkelijk gefrustreerd,' vertelde Bill ooit. 'Ik heb niks van zijn materiaal gebruikt, omdat ik het idee had dat hij er niet echt klaar voor was.' Destijds woonde Bradley in een van de gastverblijven op het Bell-landgoed (in de serie te zien als Ridge' gastenhuis op het Forrester-landgoed) en hij ontdekte dat het samenzijn met zijn vader altijd betekende dat er gewerkt werd. 'We waren onafscheidelijk, wat goed was, want ik moest nog veel leren,' vertelt Bradley, 'maar het was ook moeilijk, omdat er een tijd is geweest waarin ik niet zeker wist of hij nu mijn baas of mijn vader was. Hij is bovendien een workaholic: onder het avondeten praatten we over de serie, en op de tennisbaan vroeg hij: "Hé, hoe moet 't met Sally Spectra?" Dat was iets waar ik aan moest wennen. Ik was jong, ik wilde plezier maken.'

Bij dat plezier hoorde ook het uitgaan met zijn eerste serieuze vriendin, die toevallig ook al een werkneemster van zijn vader was. Een tijd lang had Bradley een serieuze liefdesrelatie met *B & B*-actrice Carrie Mitchum (Donna). Dat betekende echter niet dat haar rol groeide – haar aandeel was en bleef beperkt tot een klein aantal verhaallijnen. Na een tijdje verwaterde hun relatie, bijna als het personage Donna, en uiteindelijk werd ze uit de serie geschreven. Overigens zijn Bradley en Carrie nu allebei gelukkig getrouwd en hebben allebei kinderen.

Op een bepaald moment had Bradley evenwel genoeg van de kritiek van zijn vader en daarom begon hij aan andere projecten mee te werken – projecten waar zijn vader helemaal niets mee te maken had. Hij schreef een aantal voorbeelden voor komische series waardoor hij werd opgemerkt door een prime-time-producer. Bradley ging naar zijn vader en liet hem weten dat hij een aanbod had gekregen om vier afleveringen te schrijven voor een komische serie. Bill zou toen gezegd hebben: 'Nou, je moet op dit punt een beslissing nemen, omdat je ofwel 100 procent voor mij werkt ofwel op jezelf bent aangewezen.'

Noodgedwongen liet Bradley zijn komedie-plannen varen – hoewel hij zijn komische kant kan laten zien in verhaallijnen waar Sally Spectra bij betrokken is – en nu is hij de hoofdschrijver van de soap. Pa geeft hem soms nog steeds advies, maar heeft feitelijk de teugels overgedragen aan Bradley. 'Ik denk dat hij eerst twijfelde, maar nu zijn de kijkcijfers hoger dan ooit en het aantal verschillende kijkersgroepen neemt toe,' meldt Bradley trots. Hij treedt in het voetspoor van zijn vader en werkt gewoonlijk zeseneenhalve dag per week, net als Pa. Maar het is niet gemakkelijk, weet hij: 'Elk script is werkelijk een martelgang. Je wilt het zo goed mogelijk doen, maar je hebt steeds maar één dag – echt makkelijk zal het dus nooit worden.'

De treurzang van het lage pitje

B & B wordt samengesteld uit ongeveer 20 personages en omdat het afleveringen van slechts een half uur zijn, krijgen vele personages zelden iets om hun tanden in te zetten. En natuurlijk zijn er de hoofdfiguren om wie alles draait: Ridge, Brooke, Stephanie en destijds ook Caroline. Als je niet te maken hebt met de verwikkelingen rond Ridge krijg je niet veel kans om te schitteren. Sommige acteurs hebben het duidelijk gezegd wanneer ze vonden dat ze niet optimaal werden ingezet. Schae Harrison (Darla) en Brent Jasmer (Sly) hebben vaak gezegd dat ze wilden dat hun personages vanachter respectievelijk het bureau en de bar vandaan kwamen, opdat zij in andere verhaallijnen terecht zouden komen. Hun pleidooien zijn tot nu toe echter onbeantwoord gebleven aangezien de schrijvers steeds andere plannen hebben.

'Ik wil vier dagen per week werken,' smeekte Colleen Dion (Felicia) tijdens haar laatste jaar bij de serie. 'Ik sta voor alles open, ik vind werken gewoon leuk. Ik houd van de uitdaging van elke nieuwe dag. Ik vind het enig om te werken en wat ze me ook toewerpen, ik vind het prima.'

Omdat Colleen nauwelijks een sterke verhaallijn had gehad tijdens haar tijd bij de serie begon ze meer en meer tijd in Italië door te brengen, waar ze, dankzij haar bekendheid door de serie, geld kon verdienen met allerlei optredens. Eén zo'n trip eind 1992 betekende haar val. Ze was niet in staat op tijd terug te zijn om een aflevering op te nemen, omdat ze vanwege een ziekte in een Italiaans ziekenhuis was opgenomen. Anderen speculeerden dat ze probeerde haar problematische huwelijk te redden; haar man was praktisch altijd in Italië om de public relations van voormalige *B & B*-sterren te behartigen. Toen ze terugkwam in de 'States' riepen de hoge pieten van *B & B* haar op het matje en vertelden ze haar dat ze het personage uit de serie aan het schrijven waren en dat ze haar contract verbraken. Binnen enkele dagen was het script klaar: Felicia en Zach lopen samen weg, de zonsondergang tegemoet – om nooit meer iets van zich te laten horen.

In de wetenschap dat zijn personage aan een zeer gevaarlijke laag-pitje-status lijdt, zei Jeff Trachta (Thorne) ooit: 'Ik accepteer alles – wat ze ook voor me schrijven, ik speel het met volle overtuiging. Ik ben al dolgelukkig dat ik überhaupt een verhaallijn heb.' Ondanks zijn immense populariteit kwamen en stonden Thornes verhaallijnen altijd in de schaduw van die van broer Ridge. In 1993 realiseerden de producers zich dat ze geld konden besparen door Jeff geen contract meer te geven en hem alleen op afroep te gebruiken. Thorne verhuisde dus naar Europa om daar een kantoor voor de Forresters op te zetten en acteur Jeff ging door met andere projecten, hopend op een toekomst in de komedie. Thorne is vandaag de dag nog steeds te zien, zij het beperkt.

Toen Joanna Johnson (Karen) terugkwam in de serie na een succesvolle tijd als Caroline hoopte ze de draad gewoon weer op te kunnen pakken. Maar omdat Ridge al verwikkeld was in affaires met Taylor en Brooke was er voor Karen geen ruimte in zijn verhaallijn. De schrijvers probeerden haar aan Thorne te koppelen, maar dat had tamme resultaten – hun relatie had niet dezelfde emotionele impact als die van Thorne met Caroline jaren daarvoor. Joanna, een zeer extroverte actrice, uitte vaak en tegen wie het maar horen wilde haar ongenoegen over haar gebrek aan verhaal. 'Ze zeggen wel dat liefde de tweede keer beter is,' zei ze, 'nou, dat is dus niet waar.'

In een poging de populaire actrice vaker in te zetten staakte men de koppeling met de Forresters en deelden de schrijvers haar in bij de Spectra's. 'Het was alsof Spectra voorbij kwam drijven en ik ben gewoon in die reddingsboot gesprongen. En dat was goed, want nu heb ik tenminste iets te doen,' zei ze destijds. Maar na Karens korte verhouding met Connor wist Joanna dat haar rol in de soap stagneerde. Om de zaak weer wat op te schudden knipte Joanna haar haar kort en verfde ze het bruin, maar dat zorgde alleen voor kwade gezichten bij haar werkgevers – ze hielp hen zo niet in het vinden van een nieuwe verhaallijn voor haar. Zonder echte opzegtermijn of publicitaire tamtam verdween Joanna in 1994 uit de serie. Karen ging terug naar huis, naar Texas, maar het is mogelijk dat ze toch nog eens terugkeert naar Los Angeles.

Hij verloor, zij won

Ze zeggen dat je aankomt als je trouwt. Sommige *B & B*-acteurs denken hetzelfde van een soap. 'Als je een vaste baan hebt, verdwijnen de zorgen die je als free-lance acteur hebt,' zegt John McCook (Eric) eerlijk. 'Je hoeft je niet meer druk te maken over auditie doen. Ik ontspande onmiddellijk in elk opzicht. Ik heb ook een fantastisch, knus gezinsleven met 's avonds goed eten, een fantastische vrouw en gezellige kinderen. Ik werd zwaarder, maar aangezien ik een oudere man speelde, maakte dat niet zoveel uit.' Voor hij het wist, was John 5 kilo zwaarder. Zijn pakken werden uitgelegd om zijn nieuwe gewicht van 96 kilo te kunnen omvatten en zijn personage bleef dat van de helpende vader die verder weinig om handen had. 'Ik vertelde m'n vrouw dat ik het zat was altijd op de achtergrond te opereren en zij zei: "Waarom raap je jezelf niet bij elkaar, dan klopt het niet meer dat je op de achtergrond hangt en over de kinderen praat." Dat is precies wat ik deed,' herinnert hij zich. De acteur volgde het lijnprogramma van Nutri/System en na zes maanden was hij afgevallen tot 85 kilo, zijn streefgewicht.

Door zijn wisselende gewicht raakte de kostuumafdeling over haar toeren omdat zijn kleding steeds moest worden aangepast, maar het was de moeite waard: de slanke John werd al gauw in een hoofdverhaal met Ridge en Brooke geschreven. 'Het heeft mijn hele verhaallijn veranderd en nu ben ik weer belangrijk voor de serie. Trouwens, als ik oude banden terugzie, denk ik: "Oh, mijn God." De verbetering voor de camera is zo radicaal, dat ik niet kan geloven dat ik het niet eerder heb opgemerkt.'

'Hij lijkt een nieuwe man,' juicht Ronn Moss (Ridge). 'Hij is uiterlijk twintig jaar jonger geworden en ziet er geweldig uit. Ik ben echt trots op hem dat hij het gedaan heeft.' Een van de middelen die hij gebruikte om het gewicht eraf te houden was, helaas, roken. Maar op z'n 48ste besloot John ermee te stoppen in het belang van zijn kinderen en zijn gezondheid. Hij gebruikte het systeem van nicotinepleisters om af te kicken. Maar een jaar later, nadat hij naar Nederland gereisd was om zijn c.d. te promoten, begon hij toch weer te roken. Momenteel probeert hij weer te stoppen.

Terwijl John aan het afvallen was, begon de eens zo tengere Susan Flannery (Stephanie) juist aan te komen. Darlene Conley (Sally) was ooit de enige voluptueuze diva in de serie, maar Susan stak haar al gauw naar de kroon, al deed men altijd alles om dat zoveel mogelijk te verhullen: Stephanie droeg niet langer blouses en gaat nu nog slechts gekleed in ruimvallende pakken met lange jasjes.

De verdwijnende Taylor

Toen Hunter Tylo (Taylor) vroeg de serie in 1994 enkele maanden te kunnen verlaten om *The Maharaja's Daughter* in India op te kunnen nemen waren de producers erg terughoudend. Ze vonden het niet het goede tijdstip voor Taylor om uit een verhaallijn te stappen die zoveel aandacht had getrokken. Maar opeens, zonder aankondiging of overleg vooraf, nam Hunter haar laatste aflevering op en Taylor werd tijdelijk weggezonden naar een medisch congres in India. In interviews die ze destijds gaf, gaf de actrice de indruk dat ze met ruzie uit de serie vertrok en dat het definitief was. Maar door Taylor de stad uit te laten gaan dachten speculanten dat de serie wellicht zou proberen een nieuwe actrice voor de populaire rol te vinden of dat men zou afwachten of Hunter alsnog besloot terug te komen.

Een week later deed zich voor de camera's echter een schokkende gebeurtenis voor: het vliegtuig naar India, met aan boord Taylor Forrester, stortte neer en alle inzittenden kwamen om het leven. Taylors spullen werden gevonden en iedereen treurde om haar dood. Het was een uiterste noodgreep van de Bells en sommigen denken dat ze gedreven werden door wrok om hun onenigheid met Hunter. De deur leek voorgoed te zijn gesloten voor Hunter, maar maanden later ontstonden er toch geruchten dat Hunter weer terug zou komen. Toen kwam het nieuws dat ze heimelijk een contract voor 18 maanden had getekend om opnieuw aan het werk te gaan na een afwezigheid van zes maanden. Zeker is dat Hunter in augustus 1994 terugkwam in de serie en dat Taylor uit de dood herrees – de soap-operatruc die door de Bells nooit eerder was toegepast en die daardoor toch iedereen – óók de pers – verraste.

HOE GOED KEN JE B & B?

1. Welke Forrester wilde een verhouding met Donna Logan?

2. Welke naam gebruikte Donna toen ze undercover ging als stagiaire bij Spencer Publications?

3. Hoe kwam Rocco aan zijn baan bij Forrester?

4. Welk lied zongen Macy en Thorne bij hun huwelijk?

5. Welk beroep ging Donna uitoefenen toen ze snel geld nodig had?

6. Waar raakte Stephanie zwanger van Ridge?

7. Welke bijnaam had Eric op de universiteit voor Beth?

8. Wie is de peetvader van Eric Jr.?

9. Welke twee van de vier Logan-kinderen waren blij hun vermiste vader terug te zien?

10. Waar werd Steven Logan gevonden?

11. Waarheen liet Stephanie Steven overplaatsen om van Beth af te zijn?

12. Waar is de skihut van de Forresters gesitueerd?

13. Welke Forrester-dochter leed aan kleinschedeligheid?

14. Met wie verhuisde Kristen naar New York?

15. Met wie wilde Sally aanvankelijk dat Macy zou omgaan en trouwen in plaats van met Mick?

16. Welk Forrester-ritueel vond plaats aan het begin van de eerste aflevering van de serie?

17. Aan wie verloor Caroline haar maagdelijkheid?

18. Wie vertelde Ridge dat Caroline stervende was?

19. Waarom liet Ridge zijn baard staan?

20. Wat was Ridge' eerste verjaardagscadeau voor Taylor?

21. Waarom werd Sally gearresteerd?

22. Welke schuilnaam gebruikte Darla bij Forrester?

23. Hoe noemde Brooke haar kreukvrije wonderstof?

24. Waar werkte Brooke vóór ze bij Forrester kwam?

25. Hoeveel jaar waren Stephanie en Eric getrouwd?

26. Waarheen vluchtte Deveney/'Angela'?

27. Waar vroeg Eric Brooke ten huwelijk?

28. Wie hielp Stephanie te overleven op straat?

29. Door welke aandoening ging Stephanie op straat zwerven als dakloze?

30. Waar zijn Jake en Margo opgegroeid?

31. Welke naam gebruikte Stephanie toen ze thuisloos was?

32. Wie was Brookes verloofde vóór Ridge?

33. Aan welke ziekte is Caroline gestorven?

De antwoorden:

1. Thorne;
2. Jamie Kensington;
3. Hij redde Ridge en Caroline van een beroving;
4. 'Here And Now';
5. Naaktmodel;
6. Een feest op een boot;
7. Liz;
8. Ridge;
9. Donna en Katie;
10. Tucson, Arizona;
11. Parijs;
12. Big Bear, Californië;
13. Angela;
14. Mick Savage;
15. Ridge;
16. Een modeshow;
17. Nadat ze gewacht had om met Ridge te trouwen werd ze door Ron verkracht;
18. Brooke;
19. Vanwege zijn verdriet om Caroline;
20. Een opalen armband;
21. Omdat ze verkleed als man bij Forrester binnen was geslopen;
22. Camille;
23. BeLieF – dat staat voor Brooke Logan-Forrester;
24. Een ziekenhuis;
25. 30 jaar;
26. Zwitserland;
27. Op een vlucht van Parijs naar L.A.;
28. Ruthanne;
29. Een lichte attaque;
30. Madison, Wisconsin;
31. Liz;
32. Politieagent Dave Reed;
33. Leukemie.

WIE IS ER OP DEZELFDE DAG
JARIG ALS JIJ?

Soap-sterren hebben er, net als de meeste acteurs, een vak van gemaakt om hun geboortejaar geheim te houden. Maar ze zijn gek op cadeautjes, dus hun verjaardagen geven ze met alle plezier prijs.

FEBRUARI
3   Maitland Ward (Jessica) 1977
14 Perry Stephens (Steve)
22 Ethan Wayne (Storm)
27 Michael Fox (Saul) 1921

MAART
4   Ronn Moss (Ridge) 1952
9   Lauren Koslow (Margo)
11 Nancy Sloan (Katie)
20 Bryan Genesse (Rocco Garner)

APRIL
6   Jane Rogers (Julie)
7   Teri Ann Linn (Kristen)
27 Schae Harrison (Darla)

MEI
16 Brent Jasmer (Sly)
27 Monika Schnarre (Ivana) 1971
29 Tracey Bregman Recht (Lauren)

JUNI
15 Carrie Mitchum (Donna)
16 Ian Buchanan (James)
17 Daniel McVicar (Clarke)
20 John McCook (Eric) 1945
25 Michael Sabatino (Anthony Armando) 1955
29 Kimberlin Brown (Sheila)

JULI

3   Hunter Tylo (Taylor) 1962
18   Darlene Conley (Sally)
25   Bobbie Eakes (Macy)
     Katherine Kelly Lang (Brooke) 1962
31   Susan Flannery (Stephanie)

AUGUSTUS

1   Brian Patrick Clarke (Storm) 1952
12   Jim Storm (Bill)
27   Nancy Burnett (Beth)

SEPTEMBER

5   Jeremy Snider (Eric Jr.) 1990
8   Clayton Norcross (Thorne)
9   Ken LaRon (Keith)
15   Scott Thompson Baker (Connor)

OKTOBER

5   Peter Brown (Blake) 1945
6   Jeff Trachta (Thorne)
8   Dylan Neal (Dylan) 1969

NOVEMBER

5   Chris Robinson (Jack)
7   Todd McKee (Jake)

DECEMBER

27   Keith Jones (Kevin)
28   Colleen Dion (Felicia) 1964
31   Joanna Johnson (Caroline/Karen) 1961

Schrijf je favoriete sterren!

De producers, schrijvers en acteurs van THE BOLD AND THE BEAUTIFUL vinden het prachtig om post te krijgen van kijkers over de hele wereld. De mensen die belast zijn met het lezen en beantwoorden van kijkerspost, houden de standen bij: van wie houdt het publiek het meest, wie zien ze graag trouwen en zelfs, wie willen ze lozen? In de afgelopen jaren was het belangrijkste vraagstuk of Ridge voor Brooke moest kiezen. Maar ook bij dilemma's als 'moet Macy voor Thorne kiezen?' wordt de opinie van het publiek zeer op prijs gesteld. Aan alle acteurs kan per adres worden geschreven naar de serie en velen hebben hun eigen fanclub. Als een acteur niet meer in de serie zit, wordt alle moeite gedaan om zijn of haar post door te sturen.

THE BOLD AND THE BEAUTIFUL FANCLUB
7800 Beverly Boulevard
Suite 3371
Los Angeles, CA 90036
USA

DARLENE CONLEY (SALLY) AND THE SALLY SPECTRA GANG
c/o Jodie Rissuto
9 Metcalf Street
Medford, MA 02155
USA

BOBBIE EAKES (MACY)/JEFF TRACHTA (THORNE) FANCLUB
c/o Jean Smith
THE BOLD AND THE BEAUTIFUL
7800 Beverly Boulevard
Suite 3371
Los Angeles, CA 90036
USA

MICHAEL FOX (SAUL) FANCLUB
DANIEL MCVICAR (CLARKE) FANCLUB
c/o Tommy Garrett
P.O. Box 215
New Canton, VA 23123
USA

KATHERINE KELLY LANG (BROOKE) FANCLUB
c/o Amy Farina
109 Hughes Street
East Haven, CT 06512
USA

JOHN MCCOOK (ERIC) FANCLUB
c/o Cathy Thomas
THE BOLD AND THE BEAUTIFUL
7800 Beverly Boulevard
Suite 3371
Los Angeles, CA 90036
USA

RONN MOSS (RIDGE) FANCLUB
c/o Mackie Mann
THE BOLD AND THE BEAUTIFUL
7800 Beverly Boulevard
Suite 3371
Los Angeles, CA 90036
USA

HUNTER TYLO (TAYLOR) FANCLUB
c/o Pat Freeman
P.O. Box 214
Lafayette, AL 361882
USA